KB187089

안토니 그라보브스키 번역으로 읽는
폴란드 산문작가 볼레스와프 프루스 소설

개구쟁이 카지오

Pekoj de l' Infaneco

볼레스와프 프루스 지음
안토니 그라보브스키 에스페란토 번역
장정렬(Ombro) 옮김

개구쟁이 카지오

인　쇄 : 2024년 5월 1일 초판 1쇄
발　행 : 2024년 5월 8일 초판 1쇄
지은이 : 볼레스와프 프루스
- 안토니 그라보브스키 에스페란토 번역
옮긴이 : 장정렬(Ombro)
펴낸이 : 오태영(Mateno)
출판사 : 진달래
신고 번호 : 제25100-2020-000085호
신고 일자 : 2020.10.29
주　소 : 서울시 구로구 부일로 985, 101호
전　화 : 02-2688-1561
팩　스 : 0504-200-1561
이메일 : 5morning@naver.com
인쇄소 : TECH D & P(마포구)

값 : 15,000원
ISBN : 979-11-93760-11-6(03890)

안토니 그라보브스키 번역으로 읽는
폴란드 산문작가 볼레스와프 프루스 소설

개구쟁이 카지오
Pekoj de l' Infaneco

볼레스와프 프루스 지음
안토니 그라보브스키 에스페란토 번역
장정렬(Ombro) 옮김

진달래 출판사

폴란드어 원서 표지(좌)　　에스페란토 번역서 표지(우)

『개구쟁이 카지오』 원서 및 에스페란토 번역서 정보

볼레스와프 프루스(Bolesław Prus) 원작
『**Grzechy dzieciństwa**』(1883)
(https://wolnelektury.pl/media/book/pdf/prus-grzechy-dziecinstwa.pdf)
안토니 그라보브스키(ANTONI GRABOWSKI) 에스페란토번역
『**PEKOJ de l'infaneco**』(1913, JAN GÜNTHER, VARSOVIO)

차 례

작가 소개

볼레스와프 프루스(Bolesław Prus, 본명: Aleksander Głowacki, 알렉산더 그오바츠키, 1847 - 1912)는 폴란드의 소설가이자 폴란드 문학과 철학사에서 선도적인 인물이었다.
15살의 학창 시절 러시아 지배에 저항하여 일어난 1863년 1월 봉기에 가담했다가 부상당한 뒤 교도소에 수감되었다. 대학에 다니다 경제적 이유로 중퇴하고 가정교사, 야금 공장 노동자 등으로 일했다. <니바>에 발표된 전류에 관한 논문이 유명해졌고, 이후 주간지 <파리> 편집에 참여하며 단편소설 『철학자와 무식꾼』과 『이것과 저것』을 이곳에 발표한다. <바르샤바 신문>, <폴란드 신문> 등 신문, 잡지에 칼럼과 소설을 꾸준히 연재한다. 특히 1875년 <바르샤바 신문>에 연재하기 시작한 칼럼으로 유명해졌는데, 이 연재는 1887년까지 이어졌다. 1879년 국제문학협회 회원이 되었고 이 해에 소설 『스타시의 모험』을 발표했다. 다음 해에 폴란드 문학으로는 처음으로 노동자들의 파업을 묘사한 중편소설 「돌아오는 물결」과 단편소설 『미하우코』를 발표했다. 1882년 일간지 <새 소식> 편집장이 되었으나 이듬해 폐간되어 다시 <바르샤바 신문>으로 복귀했다. 『침묵하는 목소리들』, 『개구쟁이 카지오』(1883), 『실수』, 『초소』, 『인형』, 『여성 해방론자들』, 『파라온』, 『삶의 가장 일반적인 이상들』, 『어린이들』 등 많은 작품을 연재하고 발표했

다. 1912년 65세의 나이로 바르샤바에서 사망했다. 1887년부터 신문에 연재하다가 1890년 단행본으로 출간한 『인형』은 폴란드 국민이 가장 사랑하는 소설로 손꼽히는 작품이자, 세부적인 묘사와 단순하고 명쾌한 언어가 돋보이는 사실주의 대표작이다. 『인형』 폴란드 사실주의를 대표하는 작품으로 한국어로도 을유문화사에서 2016년 출간되었다.

에스페란토 번역가 소개

안토니 그라보브스키(Antoni GRABOWSKI, 1857~1921).

폴란드 태생의 엔지니어, 시인, 번역가, 사전 집필가, 30개 언어 사용자. 1887년 에스페란토를 학습하고 에스페란토 창안자 자멘호프와 처음으로 에스페란토로 대화한 사람. 『폴란드어-에스페란토』, 『에스페란토-폴란드어』 큰 사전 집필자. 간결하면서도 완벽한 문체를 추구한 역자는 에스페란토 시의 아버지로 불린다. 에스페란토 행사 때 부르는 노래 <Tagiĝo(여명)> 작사자. 번역 작품으로는 『Sinjoro Tadeo』(Miczkiewscz 지음), 『La Neĝa Blovado』(Puŝkin 지음), 『La gefratoj』(Goethe 지음), 『Ŝi la Tria』(Sienkiewicz 지음), 『개구쟁이 카지오(Pekoj de Infaneco)』(B. Prus 지음) 등 다수 있음.

우리말 옮긴이 소개

장정렬 (Jang Jeong-Ryeol(Ombro))은 1961년 창원에서 태어나 부산대학교 공과대학 기계공학과를 졸업하고, 1988년 한국외국어대학교 경영대학원 통상학과를 졸업했다. 1980년 에스페란토를 학습하기 시작했으며, 에스페란토 잡지 La Espero el Koreujo, TERanO, TERanidO 편집위원, 한국에스페란토청년회 회장을 역임했다. 거제대학교 초빙교수, 동부산대학교 외래 교수로 일했다. 현재 한국에스페란토협회 부산지부 회보 'TERanidO'의 편집장이다. 세계에스페란토협회 아동문학 '올해의 책' 선정 위원.
진달래 출판사 대표 번역가
『파드마, 갠지스 강가의 어린 무용수』, 『테무친 대초원의 아들』
『대통령의 방문』, 『국제어 에스페란토』(이영구. 장정렬 공역)
『황금 화살』, 『알기 쉽도록 <육조단경> 에스페란토-한글풀이로 읽다』, 『침실에서 들려주는 이야기』, 『공포의 삼 남매』
『우리 할머니의 동화』, 『얌부르그에는 총성이 울리지 않는다』
『청년운동의 전설』, 『푸른 가슴에 희망을』
『반려 고양이 플로로』, 『민영화도시 고블린스크』
『마술사』, 『세계인과 함께 읽는 님의 침묵』
『세계인과 함께 읽는 윤동주시집』, 『크로아티아 전쟁체험기』
『희생자』, 『피어린 땅에서』, 『사랑과 죽음의 마지막 다리에 선 유럽 배우 틸라』, 『상징주의 화가 호들러의 삶을 뒤쫓아』
『무엇 때문에』, 『밤은 천천히 흐른다』
『살모사들의 둥지』, 『메타 스텔라에서 테라를 찾아 항해하다』
『선한 부인 & 전설』, 『아보쪼』, 『중단된 멜로디』
『언니의 폐경』, 『욤보르와 미키의 모험』
『잊힌 사람들』, 『고립』, 『메아리가 된 아스마』
『에스페란토 해설 노자도덕경』『시계추』 등 다수

작가의 작품에 대한 서평

Boleslavo Prus(Aleksadro Slvacki) naskiĝis en la jaro 1847. Du vortoj karakterizas tute la enhavon de l'verkoj de B. Prus: **la penso kaj la koro**. En la malgrandaj noveloj ni trovas karikaturan kaj satiran priskribon de la richuloj kaj ĉiaspecaj potenculoj, senliman kompaton kaj amon en la pentrado de l'infanoj, bestoj, mizerulojn de ĉio, kio suferas, de ĉio nobla, - ĉie la rido tra la larmoj,
Legantoj, se vi ne konas ankoraŭ la verkojn de B. Prus, obeu la anglan proverbon: aĉetu, prenu prunte, ŝtelu, sed nepre legu ilin! -<Český Esperantista>.

1847년 작가 **볼레스와프 프루스**(B. Prus)는 태어났습니다. 작가의 작품은 두 낱말이면 충분합니다. **-생각과 마음**. 작가의 단편 작품에는 부유층과 권력자들을 풍자적으로 묘사하면서도, 아동이나 동물, 가난한 사람들에겐 무한한 연민과 사랑으로 그리고 있음을 독자는 발견할 수 있습니다. 고통받는 존재에도, 고상한 존재에도- 어디에나 눈물 어린 웃음이 담겨 있습니다.
독자여, 만일 아직도 **볼레스와프 프루스** 작품을 읽지 않았다면, 이 영국 속담을 생각해보십시오. - **살 수 있으면 사고, 빌릴 수 있으면 빌려라,** 아니면 훔쳐서라도. **그렇게라도 반드시 읽으라.**
-잡지 <Český Esperantista>(1903년 7월호, 프라하)에서

PEKOJ de l'infaneco

Mi naskiĝis en epoko, kiam ĉiu homo devis havi alnomon, eble eĉ ne tute ĝustan.

Tiakaŭze nian bienposedantinon oni nomis grafino, mian patron ŝia plenrajtigito, kaj min tre malofte Kazjo aŭ Lesniewski, sed sufiĉe ofte — petolulo, kiam mi estis ankoraŭ hejme, aŭ — azeno, kiam mi estis jam sendita en lernejon.

Mi eĉ rememoras, ke la titolo de grafino estis kvazaŭ monumento, per kiu mia s. m. patro honorigis la ĝojan okazon, kiam lia salajro estis pligrandigita jare je 100 polaj florenoj[1]. Nia sinjorino silente akceptis la oferitan al ŝi dignon, kaj post kelke da tagoj mia patro antaŭeniĝis, fariĝante el bienestro — plenrajtigito, kaj li ricevis anstataŭ diplomo, grandegan porkidon, post kies vendo oni aĉetis al mi la unuajn botojn.

La patro, mi kaj mia fratino Zonjo (ĉar patrinon mi jam ne havis), ni loĝis en masonita oficejo, kelkdek paŝojn for de l' palaco. La

1) *traduknoto: 15 spesmiloj.

palacon okupis la sinjorino grafino kun la filineto Lonjo, mia samaĝulino, kun ŝia guvernistino, kun la maljuna mastrino Salomeo, kaj kun granda nombro da ĉambristinoj kaj servantaj fraŭlinoj. Tiuj junulinoj kudris dum tutaj tagoj, pro kio mi konkludis, ke la grandsinjorinoj ekzistas tial, por ĉifonigi la vestaĵojn, kaj la junulinoj — por ilin ripari. Pri aliaj destinoj de grand-sinjorinoj kaj malriĉaj knabinoj mi sciis nenion, kaj tio estis, laŭ opinio de mia patro, mia sola bona eco.

La sinjorino grafino estis juna vidvino, kiun la edzo sufiĉe frue nekonsoleble malĝojigis. Kiom mi scias el la tradicio, la formortinton neniu titolis grafo, nek li nomis iun plenrajtigito. Anstataŭe, la najbaroj, kun stranga en nia lando unuanimeco, nomis lin frenezetulo. Sendube li estis homo neordinara. Li mortlacigis selĉevalojn, hufpremis dum ĉasado semaĵojn de vilaĝanoj, kaj kun la najbaroj li duelis pro ĉevaloj kaj hundoj. Hejme li turmentis la edzinon per ĵaluzo, kaj al la servistaro li maldolĉigis la vivon per longa, piproligna piptubo. Post la morto de la strangulo liaj selĉevaloj devis veturigi sterkon, kaj la hundojn oni disdonacis. La mondo ricevis post li herede malgrandan filineton kaj junan vidvinon. Ah! pardonu, ĉar restis ankoraŭ olekolora portreto de la mortinto, kun blazona sigelringo sur fingro, kaj — tiu piproligna piptubo, kiu, sekve de malĝusta uzado, kurbiĝis kiel turka sabro.

La palacon mi preskaŭ ne konis. Unue, ĉar mi preferis kuri sur la kampoj, ol renversiĝi sur glata pargeto, kaj due tial, ke min ne enlasis la servistaro, ĉar dum la unua vizito mi havis la malfeliĉon rompi grandan saksan florvazon.

Kun la grafidino, antaŭ mia foriro en lernejon, ni ludis nur unufojon, havante ambaŭ neplene po dek jaroj. Okaze mi volis lernigi al ŝi la arton de grimpado sur arboj kaj mi sidigis ŝin sur la latbarilon tiamaniere, ke la knabineto komencis krii tutgorĝe, pro kio ŝia guvernistino punbatis min per blua ombrelo dirante, ke mi povis malfeliĉigi Lonjon por la tuta vivo.

De post tiu tempo vekiĝis en mi antipatio al malgrandaj knabinoj, el kiuj neniu scipovis grimpi sur arboj, nek baniĝi kun mi en la lageto, nek rajdi, nek arkpafi, nek uzi ŝtonĵetilon. Okaze de batalo, sen kiu — kia estus amuzo! Preskaŭ ĉiu knabineto komencis plori kaj kuris al iu plendi.

Ĉar kun bienlaboristaj knaboj la patro

malpermesis al mi komunikiĝi, kaj ĉar mia fratino pasigis preskaŭ tutajn tagojn en la palaco, do mi kreskis kaj edukiĝis mem, kiel rabobirdido, kiun forlasis la gepatroj. Mi baniĝis sub la muelilo, aŭ, en truhava boato, mi naĝis sur la lageto. En la parko, kun facilmoveco de kato mi postkuris sur la branĉoj la sciurojn. Foje, renversiĝis mia boato kaj duontagon mi sidis sur la naĝanta insuleto, ne pli granda ol lavujo. Foje, tra la fumujo mi grimpis sur tegmenton tiel malfeliĉe, ke oni devis kunligi du ŝtupetarojn, por venigi min el tie. Alifoje tutan plentagon mi eraris en la arbaro, kaj ankoraŭ alifoje la maljuna rajdĉevalo de la formortinta sinjoro, rememoriginte al si pli bonajn tempojn, preskaŭ tuthoron portis min galope tra la kampoj, kaj fine — verŝajne malgraŭvole — kaŭzis rompon de mia kruro, kiu cetere baldaŭ ree kunkreskis.

Ne havante iun por kunvivo, mi vivis kun la naturo. Mi konis en la parko ĉiun formikaron, en la kampo ĉiun kavernon de hamstroj, en la ĝardeno ĉiun talpovojeton. Mi sciis pri la birdonestoj kaj pri la arbokavaĵoj, kie loĝis la sciuridoj. Mi diferencigis la bruon de ĉiu tilio ĉirkaŭ la domo kaj sciis kanti tion, kion la vento ludas en la arboj. Iafoje mi aŭdis en la arbaro ian eternan iradon, kvankam mi ne sciis, kies ĝi estas? Mi rigardis la flagretadon de steloj, mi interparolis kun la nokta silento, kaj ne havante iun por kisado, mi kisis la korthundojn. Mia patrino jam delonge ripozis en la tero. Jam sub la premanta ŝin ŝtono eĉ fariĝis malfermaĵo, atinganta kredeble la internaĵon de la tombo. Foje, punbatite pro io, mi iris tien, alvokadis ŝin, almetadis la orelon, por aŭdi, ĉu ŝi ne respondos. Sed ŝi respondis nenion. Evidente ŝi mortis efektive.

En tiu tempo mi formis al mi la unuajn ideojn pri homoj kaj pri iliaj interrilatoj. En mia imago, ekzemple, la plenrajtigito devis nepre esti iom korpulenta, havi brunruĝan vizaĝon, pendantajn malsupren lipharojn, grandajn brovojn super grizaj okuloj, basan voĉon kaj almenaŭ tian kapablon al kriado — kiel mia patro. La personon, nomatan grafino, mi ne povis imagi al mi alie, ol kiel altkreskan sinjorinon, kun bela vizaĝo kaj malgajaj okuloj iradantan silente tra la parko, en blanka, treniĝanta robo.

Pri homo, titolata grafo, mi havis nenian ideon. Simila homo, eĉ se li ekzistus, ŝajnis al mi aĵo pli malmulte signifanta ol la grafino, aŭ eĉ tute senutila kaj maldeca. Laŭ mia opinio, nur en vasta robo, kun longa trenaĵo, povis loĝadi la majesto de ekscelenca moŝto; kontraŭe, ĉiuj vestaĵoj mallongaj, malvastaj kaj despli la konsistantaj el du partoj, povis servi nur al bienskribistoj, brandfaristoj, kaj, eĉ al rajtigitoj.

Tia estis mia legitimismo, apogita sur la ordonoj de mia patro, kiu senĉese rekomendis al mi — ami kaj honori la sinjorinon grafinon. Cetere, se mi iam forgesus tiujn regulojn, mi bezonis nur rigardi la ĉerizkoloran ŝrankon en la kancelario de mia patro, kie, apud kvitancoj kaj notaĵoj, pendis sur najlo la kvinpinta disciplino[2], tiu enkorpigo de principoj de socia ordo.

Ĝi estis por mi speco de enciklopedio, kiun rigardante, mi rememoris al mi, ke oni ne devas detrui botojn, tiri bovidojn je l' vosto, ke ĉiu povo devenas de Dio, k. t. p.

Mia patro estis homo nelacigeble laborema, senmakule honesta, kaj eĉ tre malsevera. El vilaĝanoj kaj servistoj li tuŝis neniun per fingro, nur li kriegis terure. Sed se li estis iom severa

2) *traduknoto: skurĝo.

por mi, tio ne okazis sen pravaj motivoj. Nia orgenisto, al kiu mi foje enŝutis en la tabakujon iometon da veratro, sekve de kio, dum la tuta sankta meso li ternis, anstataŭ kanti, kaj senĉese eraris en la ludado, — diris ofte, ke, se li havus tian filon kiel mi, li pafus en lian kapon.

La sinjorinon grafinon la patro nomis anĝelo de boneco. Efektive: en ŝia bieno ne ekzistis homoj malsataj, nek ĉifonvestitaj, nek suferantaj maljuston. Ĉiu, al kiu oni faris malbonon, iris plendi al ŝi; kiu estis malsana, prenis kuracilon el la palaco; al kiu naskiĝis infano, petis la sinjorinon, ke ŝi estu baptanino. Mia fratino lernis kune kun la grafidino, kaj mi mem, kvankam mi evitis aristokratiajn rilatojn, havis tamen okazon konvinkiĝi pri la eksterordinara mildeco de la grafino.

Mia patro posedis kelkajn ekzemplerojn da armiloj, el kiuj ĉiu estis destinita por alia celo. La grandega dutuba pafilo devis servi por mortigado de lupoj, kiuj sufokadis la bovidojn de nia bienheredantino; la fajroŝtona pistolo devis esti uzata por defendo de ĉiu alia propraĵo de la grafino, kaj la militista palaŝo[3]

3) *traduknoto: pola sabro.

por defendo de ŝia honoro. Ŝian propraĵon kaj honoron la patro verŝajne defendus per civila bastono, ĉar la tuta batala armilaro, ĉiukelkmonate ŝmirata per graso, kuŝis ie en tia angulo, sub la tegmento, ke eĉ mi ne povis ĝin trovi.

Tamen mi sciis pri tiuj armiloj kaj mi tre sopiris al ili. Iafoje mi revis, ke mi plenumis tiel noblan faron, pro kiu la patro permesis al mi pafi el la grandega pistolo, kaj dume — mi kuris sekrete al la arbaristoj kaj lernis pafi el la longaj unutubaj pafiloj, kiuj posedis tian econ, ke ĉe la pafo ili faris senperan malutilon nur al miaj makzeloj, ne tuŝante ian kreaĵon.

Iutage, dum la oleumado de la dutuba pafilo, destinita kontraŭ lupoj, de la pistolo, por defendo de propraĵo, kaj de la palaŝo, por defendo de la grafina honoro, mi prosperis ŝteli de l' patro plenmanon da pulvo, kiu, kiel mi scias, ne havis ankoraŭ specialan destinon. Kiam la patro forveturis en la kamparon, mi kaptis grandegan grenejan ŝlosilon, kiu havis malfermon similan al tubo, krom tio flankan truon, kaj mi ekiris ĉasi. La grandan ŝlosilon mi duone ŝargis per pulvo, enŝutis pinĉprenon da rompitaj butonoj de nenomebla vestparto, ŝtopis ilin per stupo, kaj, por kaŭzi eksplodon, mi prenis skatoleton da brulspongaj alumetoj.

Apenaŭ elirinte el la domo, mi ekvidis kelke da kornikoj, kiuj ĉasis anasidojn, apartenantajn al kortego. Preskaŭ antaŭ miaj okuloj unu el la malutilfarantoj kaptis anasidon, kaj, ne povante sufiĉe facile ĝin forporti, sidiĝis sur brutejeto.

Ĉe tiu vidaĵo ekscitiĝis en mi la sango de la antaŭuloj batalintaj apud Vieno. Mi ŝtelire proksimigis al la staleto, ekbruletigis la brulspongon, ekcelis per la ŝlosilo en la dekstran okulon de la korniko, ekblovis, ekbruligis··· Ekkrakis — kiel fulmobato. El la supro de la staleto ruliĝis la jam sufokita anasido sur la teron; la korniko, terure timigita, forflugis sur la plej altan tilion, kaj mi, mirigite, konvinkiĝis, ke en miaj manoj restis nur la prenilorelo de la granda ŝlosilo, sed aliflanke, el la pajla tegmento de l' staleto, komencis eliĝi malgranda volvaĵo da fumo, kvazaŭ iu fumus la pipon.

Post kelkaj minutoj la stalon, valorantan ĉirkaŭ kvindek polaj florenoj, ĉirkaŭprenis la flamoj. Kunkuris hontoj, algalopis sur ĉevalo mia patro; poste, en ĉeesto de ĉiuj ĉi bravaj kaj honestaj personoj, ia nemoveblaĵo „forbrulis —

ĝis termezo" — kiel diris la sinjoro brandfaristo.

Dum tiu tempo okazis kun mi nepriskribeblaj aferoj. Unue mi ekkuris en la loĝejon kaj pendigis sur ĝustan lokon — la orelon de la disŝirita ŝlosilo. Poste — mi forkuris en la parkon kun la intenco droniĝi en la lageto. Sekundon poste — mi principe ŝanĝis la projekton, kaj intencis mensogi kiel bienskribisto kaj malkonfesi la ŝlosilon, la pafon kaj la staleton. Sed kiam oni min kaptis — tuj mi konfesis ĉion.

Oni kondukis min en la palacon. Sur la teraso mi ekvidis mian patron, la sinjorinon grafinon en la treniĝanta robo, la grafidinon, vestitan sufiĉe mallonge kaj mian fratinon, ambaŭ plorantajn. Poste — la ŝlosistinon Salomeon, la ĉambriston, la lakeon, la bufedan bubon, la kuiriston, la kuiristhelpanton, kaj tutan svarmon da ĉambristinoj, servantaj fraŭlinoj kaj vilaĝaj knabinoj. Kiam mi turnis la okulojn en la kontraŭan flankon, mi ekvidis malantaŭ la konstruaĵoj — la verdajn suprojn de tilioj, kaj iom pli malproksime, la flavbrunan kolonon da fumo, kiu, kvazaŭ intence, leviĝis super la postbrulejo.

En tiu ĉi momento mi rememoris la vortojn

de l' orgenisto, kiu parolis pri la nepreco pafi en mian kapon, kaj mi konkludis, ke se iam ajn, supozeble hodiaŭ trafos min la perforta morto. Mi forbruligis la stalon, detruis la grenejan ŝlosilon; la fratino ploras, la tuta servistaro staras plennombre antaŭ la palaco, kion do signifas tio?.. Mi rigardis nur: ĉu la kuiristo havas sian pafilon, ĉar unu el liaj devoj estis pafi la leporojn, kiel ankaŭ morte malsanajn dombestojn.

Oni kondukis min al sinjorino grafino mem. Ŝi ekrigardis min per siaj malgajaj okuloj, kaj mi, kunmetinte la manojn sur la dorso (kiel mi kutimis fari senkonscie en la ĉeesto de mia patro), mi suprenlevis la kapon, ĉar la sinjorino estis altekreska.

Tiamaniere dum kelke da momentoj ni rigardis atente unu la alian. La servistaro silentis, kaj en la aero estis sentebla la brulodoro.

— Ŝajnas al mi, sinjoro Leśniewski, ke tiu ĉi knabo havas vivecan temperamenton?—diris per melodia voĉo la sinjorino grafino al mia patro.

— Fripono!.. brulfaristo!.. difektis mian grenejŝlosilon! — rediris la patro, kaj poste rapide li aldonis:

— Falu al piedoj de la sinjorino grafino, vi kanajlo!..

Kaj malforte li puŝis min antaŭen.

— Se vi intencas min mortigi, do mortigu, sed mi al neniu falos al la piedoj! -Mi respondis, ne deturnante la okulojn de la sinjorino, kiu faris sur min strangan impreson.

— Ĥi!.. Jezu!.. — ekĝemis la skandalita Salomeo, kunmetante la manojn.

— Trankviliĝu, mia knabeto, ĉar ĉi tie neniu faros al vi malbonon — diris la sinjorino.

— A ha! neniu···

— Ĉu mi ne scias, ke vi pafos en mian kapo n··· Tion promesis ja al mi la orgenisto —mi rediris.

— Ĥi!.. Jezu··· — ekvokis duafoje la ŝlosistino.

— Li senhonorigas mian maljunecon! — ekparolis la patro. Tri haŭtojn mi deŝirus de tiu ĉi fripono kaj surŝutus salon, se la sinjorino grafino ne prenus lin en sian protekton.

La kuiristo, staranta en la angulo de l' teraso, kovris la buŝon per mano kaj ridis, ĝis li bluiĝis. Mi ne povis toleri tion kaj mi montris al li la langon.

La servistaro ekmurmuris pro miriĝo, kaj la patro, kaptante min je l' brako, ekkriis:

— Jen, kion vi ree faras?.. En ĉeesto de la sinjorino grafino vi montras la langon?..

— Mi montris la langon al la kuiristo, ĉar li pensis, ke li min same mortpafos, kiel la maljunan palflavan ĉevalon…

La sinjorino grafino fariĝis ankoraŭ pli malgaja. Ŝi forŝovis la harojn el mia frunto, ekrigardis profunde en la okulojn kaj diris al la patro:

— Kiu scias, sinjoro Leśniewski, kia homo ankoraŭ estos el tiu ĉi infano?..

— Pendigila kandidato! — respondis mallonge la ĉagrenita patro.

— Tion oni ne scias — refutis la sinjorino, glatigante al mi la hirtigitajn harojn. — Oni devus lin sendi en lernejon, ĉar tie ĉi li tute sovaĝiĝos.

Kaj poste, forirante en la salonon, ŝi diris duonlaŭte:

— Estas materialo por homo, sinjoro Leśniewski!.. Oni devas lin nur instrui.

— Fariĝos laŭ volo de la sinjorino grafino! — respondis la patro, frapante per pugno mian nukon.

El la teraso foriris ĉiuj, sed mi restis, senmova kiel ŝtono, rigardanta senĉese la pordon, en kiu malaperis nia biensinjorino. Nur nun mi ekpensis kun bedaŭro: kial mi ne falis al ŝiaj piedoj? Kaj mi eksentis ian premadon en la brusto. Se ŝi ordonus, volonte mi kuŝiĝus sur la brulrestaĵoj de l' staleto, kaj igus min malrapide rosti sur ili. Ne por tio, ke ŝi ne ordonis al la kuiristo mortpafi min, nek punbati, sed por tio, ke ŝi havis tian dolĉan voĉon kaj tian malgajan rigardon.

De post tiu ĉi tago mi estis jam malpli libera. La sinjorino grafino ne deziris perdi en fajro la restintajn konstruaĵojn: al la patro estis malagrable, ke li ne povis egaligi kun mi la kalkulon por la forbruligita stalo, kaj mi mem devis prepariĝi por la lernejo. Instruis min la orgenisto kaj la brandfaristo. Oni diris eĉ, ke iajn objektojn prelegos al mi la guvernistino el la palaco. Sed, kiam tiu ĉi sinjorino, ĉe interkoniĝo kun mi, ekvidis, ke mi havas la poŝojn plenajn de tranĉiloj, ŝtonoj, ŝroto kaj kapsuloj, ŝi ektimis tiel, ke ŝi jam ne volis vidi min duafoje.

— Al tiaj banditoj mi ne donas lecionojn — diris ŝi al mia fratino.

Mi tamen tiutempe jam tre serioziĝis. Nur unu fojon mi volis, prove, min pendigi. Sed poste okazis al mi ia alia okupo, do mi faris al mi nenion malbonan.

Fine, en komenco de Aŭgusto oni forveturigis min en la lernejon.

La ekzamenon mi sukcesis tute bone, dank' al la rekomendaj leteroj de la sinjorino grafino. Poste la patro lokis min en pensiono kun helplecionoj, gepatra zorgado, kaj kun ĉiuj oportunaĵoj por 200 polaj florenoj[4] kaj kvin buŝeloj da alpago per naturaĵoj ĉiujare — kaj — li aĉetis al mi lernejan uniformon.

La nova vestaĵo tiel min okupis, ke ne povante sufiĉe ĝoji pro ĝi dum la tago, mi leviĝis tute mallaŭte dum la nokto, vestis min en mallumo en la surtuton kun ruĝa kolumo, metis sur la kapon la ĉapeton kun ruĝa randostrio kaj intencis sidi tiel dum kelkaj minutoj. Sed ĉar la nokto estis pluvema, kaj de la pordo estis ioma trablovo, kaj mi ekster la uniforma surtuto kaj la ĉapo estis en negliĝo, do mi iom ekdormetis kaj dormis en la uniformo ĝis la mateno.

Tia maniero de noktpasigo tre gajigis miajn kolegojn, sed en la mastro de nia pensiono ĝi vekis la suspekton, ke li havas en la domo

---

4) *traduknoto: 15 spesmiloj.

eksterordinaran petolulon. Li kuris rapide en la gastejon, kie ekloĝis mia patro, kaj li diris al li, ke por ĉiuj trezoroj en mondo li ne volas min havi en pensiono, esceptinte — se la patro aldonos al li ankoraŭ kvin buŝelojn da terpomoj jare. Post longa marĉandado ili interkonsentiĝis pri tri buŝeloj, sed mia patro adiaŭis min tiel demonstracie sentige, ke mi nek bedaŭris, kiam li forveturis, nek sopiris al hejmo, kie similaj ovacioj povus al mi okazi pli ofte.

La tempo de mia edukado en la unua klaso ne prezentas pli eminentajn momentojn. Hodiaŭ rigardante tiun epokon el historia distanco, necesa, kiel oni scias, por formado de objektiva opinio, mi konfesas, ke ĝenerale mia vivo aliiĝis malmulte. En la lernejo mi sidis iom pli longe en fermita ĉambro, hejme — iom pli mi kuris en malfermita spaco. Demetinte la civilajn vestojn, mi surhavis uniformon, kaj la personoj, laborantaj je harmonia disvolvo de miaj fizikaj kaj spiritaj kapabloj, aplikis anstataŭ skurĝo — vergon.

Jen la tuta diferenco.

La lernejo kiel oni scias, dank' al sia kolektiva karaktero, preparas la knabojn por vivo en la socio kaj donas al ili la scipovojn, kiujn ili ne akirus, edukiĝante aparte. Pri tiu-ĉi vero mi konvinkiĝis post unusemajna restado en la lernejo, kie mi lernis la arton de fromaĝ-premado[5], kiu postulas la kunagadon de almenaŭ tri personoj, kaj sekve ne povas ekzisti ekstere de la socio.

Nur nun mi malkovris en mi la efektivan talenton, kies eco gardis min antaŭ teoriaj enprofundiĝoj, kaj puŝis en la direkto de kolektiva agado. Mi apartenis al unuarangaj — pilkobastonistoj, mi estis armeestro dum bataloj, mi organizis eksterklasajn ekskursojn, nomatajn vagadoj, mi gvidis en la klaso la ĝeneralan piedfrapadon aŭ blekadon, kiun ni, por ekripozo, aranĝis iafoje sesdekope. Kontraŭe, troviĝinte sola, ĉe gramatikaj reguloj, esceptoj, deklinacioj kaj konjugacioj, formantaj, kiel oni scias, la fundamenton de filozofia pensado, mi baldaŭ sentis en la animo ian malplenon, el kies profundaĵo eliĝadis — la dormemo.

Se, malgraŭ mia talento al nelernado, mi recitis tamen la lecionojn sufiĉe flue, tio okazis nur dank' al mia bonega vidsento, kiu permesis al mi, legi el libro en distanco de du aŭ tri benkoj. Iafoje okazis, ke mi recitis ion tute

5) *traduknoto: Kunpuŝiĝado de lernantoj.

alian, ol la taskon, sed tiam mi aplikadis la modelan en tiuj okazoj senkulpiĝon. Mi diris, ke mi malĝuste aŭdis la demandon, aŭ, ke mi konfuziĝis.

Ĝenerale mi estis lernanto — de estonteco, ne nur tial, ke mi malkontentigis maljunajn rutinulojn, kaj posedis simpatiojn de junuloj, sed tial, ke la bonajn notojn el diversaj instruobjektoj, kaj kun ili la esperon de promocio mi vidis nur en revoj, flugantaj malproksimen, for de la estanteco.

Miaj interrilatoj kun instruistoj estis diversaj,

La profesoro de latina lingvo donis al mi sufiĉe bonajn sciogradojn por tio, ke mi diligente lernis la gimnastikon, pri kiu ankaŭ li instruis. La pastro-prefekto[6] tute ne donis al mi gradojn, ĉar mi faris al li embarasajn demandojn, pri kiuj lia sola respondo ĉiam estis „Leśniewski, iru genui!“ La instruisto de desegnado kaj kaligrafio protektis min kiel desegnisto, sed mallaŭdis kiel kaligrafiisto; sed ĉar en lia menso la skribo-arto estis la plej grava lerneja objekto, do, voĉdonante kun si mem, li superpezigis la flankon de belskribado kaj donis al mi unuojn, iafoje duojn[7].

6) *traduknoto: Instruisto de religio.

La aritmetikon mi komprenis tute bone, ĉar tiu-ĉi instruado estis bazita sur observa metodo, tio estas sur „manbatoj“ pro neatentado. La instruisto de lingvo pola antaŭdiris al mi brilantan karieron, ĉar foje prosperis al mi skribi por lia nomtago versaĵon, kiu enhavis laŭdon de lia severeco. Fine la gradoj el aliaj objektoj dependis de tio, ĉu miaj najbaroj bone al mi sufloris, aŭ, ĉu la libro, kuŝanta sur antaŭa benko, estis malfermita en ĝusta loko.

Sed la plej intimaj rilatoj ligis min kun la inspektoro. Tiu-ĉi homo tiel alkutimiĝis frapi por elvoki min el la klaso dum la lecionoj, kaj vidi min post la lecionoj, ke li estis sincere maltrankvila, se en iu semajno mi ne rememorigis lin pri mia ekzisto.

— Leśniewski! — li ekvokis iutage, ekvidinte ke mi jam iras el la klaso hejmen. —Leśniewsk i!··· do kial vi ne restas?···

— Mi ja faris nenion malbonan — respondis mi.

— Kion mi aŭdas, do vi ne estas enskribita en la tagolibron?

— Vere, kiel mi amas la patron!

— Kaj vi sciis la lecionojn?···

7) *traduknoto: nesufiĉaj gradoj.

— Oni min hodiaŭ tute ne demandis!···

La inspektoro enpensiĝis.

— Ĉi tie estas io kaŝita! — li flustris. — Aŭskultu, Leśniewski, restu ĉi-tie momenton.

— Mia ora sinjoro inspektoro, mi estas ja neniel kulpa!.. Vere, kiel mi amas Dion!···

— A-ha!.. jen vi, juras azeno!.. Do venu tuj!.. Kaj se vi efektive faris nenion malbonan, tiam — ni faros la kalkulon alifoje!..

Ĝenerale mi havis ĉe la inspektoro malfermitan krediton, per kio mi akiris en la lernejo certan popularecon, tiom pli efektivan, ke ĝi stimulis neniun al konkurado.

Inter kelkdeko da unuaklasanoj, el kiuj unu razis jam siajn lipharojn per efektiva razilo, tri ludis dum tutaj tagoj kartojn sub la benko, kaj aliaj estis sanaj kiel kantonistoj[8], troviĝis kriplulo — Juzjo[9]. Li estis knabeto ĝibhava, pigmeo rilate al sia aĝo, malgrasa, kun blua nazeto, palaj okuloj kaj glataj haroj. Li estis tiel malfortika, ke li devis ripozi envoje, irante el sia loĝejo en la lernejon, kaj tiel timema, ke, alvokite por reciti la lecionon, li mutiĝis de timo. Neniam li interbatiĝis kun iu, nur li petis

---

8) *traduknoto: rekrutoj, edukitaj en armeo.

9) *traduknoto: Jozefĉjo.

la aliajn, ke ili ne batu lin. Kiam foje oni donis al li „klakfrapon“ sur la malgrasan kiel lignopeceto maneton — li svenis, sed rekonsciiĝite — li ne plendis.

Li havis ambaŭ gepatrojn, sed la patro forpelis la patrinon el la domo, kaj Juzjon li lasis ĉe si, dezirante mem gvidi lian edukadon. Li mem volis akompani ĉiam la filon al la lernejo, promenadi kun li, kaj doni al li helplecionojn; sed li ne faris tion pro manko de tempo, kiu strange rapide pasadis en la vendejo de alkoholaj trinkaĵoj kaj de avena biero ĉe Moŝek Lipa.

Tiamaniere Juzjo havis nenian zorganton, kaj al mi ŝajnis iafoje, ke tian malgrandulon eĉ Dio rigardas malfavore el ĉielo.

Tamen Juzjo havis monon, po ses ĝis dek groŝoj[10] ĉiutage. Por tiu mono li estis aĉetonta por si, dum la paŭzo, du bulkojn kaj kolbaseton. Sed ĉar li estis persekutata de ĉiuj, do li, volante sin asekuri eĉ iomete, aĉetis kutime kvin bulkojn kaj disdonis ilin al plej fortaj kolegoj, ke ili havu favorajn korojn por li.

Tiu imposto malmulte utilis al li, ĉar ekster la kvin favorigitaj estis trifoje tiom da nepacigitaj.

10) *traduknoto: pola groŝo=5 spesoj.

Do ili turmentis lin senĉese. Iu ekpinĉis lin, alia ektiris je la haroj, alia ekpikis lin, la kvara „resortfrapis“ lian orelon, kaj la plej malkuraĝa nomis lin almenaŭ-ĝibulo.

Tiu imposto malmulte utilis al li, ĉar ekster la kvin favorigitaj estis trifoje tiom da nepacigitaj. Do ili turmentis lin senĉese. Iu ekpinĉis lin, alia ektiris je la haroj, alia ekpikis lin, la kvara „resortfrapis“ lian orelon, kaj la plej malkuraĝa nomis lin almenaŭ-ĝibulo.

Juzjo nur ridetis je tiuj kolegaj ŝercoj; iafoje li petis: lasu jam trankvile!… kaj iafoje li eĉ nenion diris, nur li apogis la vizaĝon je siaj malgrasaj manplatoj kaj ĝeme ploris.

La kolegoj vokis tiam: rigardu! kiel lia ĝibo skuiĝas!… kaj ili turmentis lin ankoraŭ pli obstine.

Komence mi atentis malmulte la ĝibuleton, kiu ŝajnis al mi malvigla. Sed foje, tiu granda kolego, kiu razis jam siajn lipharojn, sidiĝis malantaŭ Juzjo kaj komencis risortfrapi liajn ambaŭ orelojn, La ĝibulo tremis de plorego, kaj la tuta klaso ridis plengorĝe. Tiam kvazaŭ io ekpikis mian koron. Mi kaptis la malfermitan poŝtranĉilon kaj la grandulaĉon, kiu resortfrapis la gibuleton, mi puŝis per ĝi en la manon, kriante, ke: mi same faros al ĉiu, kiu tuŝos Juzjon eĉ per unu fingro!..

El mano de l' grandulaĉo ekŝprucis sango, li paliĝis kiel kreto, kaj ŝajnis, ke li svenos. La tuta klaso subite ĉesis ridi kaj poste komencis krii: li meritis tion, li ne turmentu kriplulon! En tiu-ĉi momento eniris la instruisto, kaj sciiĝinte, ke mi vundis kolegon per tranĉilo, li volis venigi la inspektoron kun pedelo kaj vergo. Sed ĉiuj komencis propeti pri mi, eĉ la vundita grandulaĉo; do ni kisis unu la alian: unue mi kun la grandulaĉo, poste li kun Juzjo, poste Juzjo kun mi, kaj — tiamaniere mi eliris el la afero sendifekte.

Mi rimarkis, ke dum la tuta leciono la ĝibuleto direktadis la kapon en mian flankon, kredeble tial, ke dum tiu tempo li ricevis neniun risortfrapon. Dum la paŭzo ankaŭ neniu lin turmentis, kaj kelkaj deklaris, ke ili defendos lin. Li dankis al ili, sed — li kuris al mi kaj volis doni al mi buterbulkon. Mi ne akceptis, do li iom hontiĝis, kaj poste li diris mallaŭte:

— Aŭdu, Leśniewski, mi diros al vi sekreton.

— Parolu! — mi respondis — sed rapide…

La ĝibuleto konfuziĝis, kaj poste li demandis:

— Ĉu vi jam havas amikon?..

— Ĉu mi lin bezonas?..

— Ĉar, se vi volus, mi povus esti via amiko. Mi ekrigardis lin fiere. Li konfuziĝis ankoraŭ pli kaj li ree demandis per sia delikata, mallaŭtigita voĉeto:

— Kial vi ne volas, ke mi estu via amiko?

— Ĉar mi ne komunikigas kun tiaj malvigluloj, kiel vi! — mi respondis.

La nazeto de la ĝibuleto bluiĝis pli ol kutime. Li volis jam foriri, sed li turnis sin ankoraŭ foje al mi, dirante:

— Tiam eble vi volas, ke mi sidu apud vi?.. Aŭdu, mi atentas, kian taskon donas la instruistoj; mi farus anstataŭ vi la ekzemplojn… Mi scipovas bone suflori…

Tiu-ĉi argumentado ŝajnis al mi grava. Post pripenso mi akceptis la ĝibulon en mian benkon, kaj mia najbaro konsentis, por kvin bulkoj, cedi al li sian lokon.

Jam posttagmeze Juzjo translokiĝis al mi. Li estis mia plej sincera helpanto, konfidato kaj laŭdanto. Li elserĉadis la vokablojn kaj faris ĉiujn tradukojn; li notis la taske-donitajn ekzemplojn; li portis la inkujon, plumojn kaj krajonojn por ni ambaŭ. Kaj kiel bone li sufloris! — Dum mia lerneja tempo multaj al mi sufloris:. kelkaj eĉ devis genui pro tio, sed neniu estis en tiu-ĉi arto eĉ komparebla kun Juzjo. En suflorado la ĝibuleto estis majstro, ĉar li scipovis paroli, kunpreminte la dentojn, kaj li faris samtempe tian senkulpan mienon, ke neniu el la profesoroj eĉ suspektis ion···

Ĉiufoje, kiam mi estis fermita en karcero, la gibuleto alportis al mi kaŝe panon kaj viandon el sia tagmanĝo. Kaj se mi havis ian pligrandan malagrablon, tiam, kun larmoj en okuloj, li certigadis la kolegojn, ke mi toleros nenian al mi farotan maljustaĵon.

— Ho! ho! — li diris — Kazjo estas forta. Se li kaptos la pedelon je la ŝultroj, li ĵetos lin teren kiel plumon. Ne timu!

Efektive, miaj kolegoj ne timis, sed li, mizerulo, timis por ni ambaŭ.

Se la ĝibuleto ne bezonis atenti dum iu leciono, tiam li diris al mi komplimentojn:

— Mia Dio··· se mi estus tiel forta, kiel vi!.. Mia Dio!.. se mi estus tiel kapabla··· Sciu, ke se vi nur volus, post monato vi fariĝus la unua lernanto···

Iutage, tute surprize, la instruisto de lingvo germana alvokis min al la katedro. La terurita Juzjo havis apenaŭ la tempon suflori al mi, ke:

al la kvara deklinacio apartenas ĉiuj substantivoj virinseksaj, ekzemple: die Frau — la sinjorino…

Mi eliris per firma paŝo kaj kun granda certeco mi sciigis la instruiston, ke al la kvara deklinacio apartenas ĉiuj substantivoj virinseksaj, ekzemple: die Frau—la sinjorino… Sed ĉe tio finiĝis mia sciado.

La profesoro ekrigardis en miajn okulojn, balancis la kapon kaj ordonis traduki. Mi tralegis germane flue kaj laŭte unufojon, poste ankoraŭ pli flue — duan fojon, sed kiam mi komencis triafoje legi la saman fragmenton, la instruisto ordonis al mi reiri sur mian lokon.

Revenante al mia benko, mi ekvidis, ke Juzjo tre atente rigardas la krajonon de la profesoro kaj ke li havas tre ĉagrenigitan mienon.

Instinkte mi demandis la ĝibuleton:

— Ĉu vi ne scias, kian gradon li donis al mi?

— Ĉu mi povas scii?.. — eksopiris Juzjo.

— Sed kio ŝajnas al vi?

— Mi — diris la ĝibuleto — donus al vi kvinon, nu — cetere kvaron, sed li…

— Kaj li, kiom li donis al mi?… — mi demandis.

— Ŝajnas al mi, ke — unuon… Sed tiu-ĉi azeno, kion li scias!.. respondis Juzjo, per voĉo, en kiu sonis profunda konvinko.

Malgraŭ sia malfortikeco, la knabeto estis tre laborema kaj kapabla. Mi legis kutime en la klaso romanojn, kaj li aŭskultis la prelegon kaj poste li ripetis ĝin al mi.

Foje mi demandis lin, pri kio parolis nia instruisto de zoologio?

— Jen, pri tio — respondis la ĝibuleto kun mistera mieno, ke la kreskaĵoj estas similaj al bestoj.

— Malsaĝa li estas — mi respondis.

— Tamen! — diris la ĝibuleto — li estas prava. Mi jam komprenas lin iomete.

Mi komencis ridi kaj mi diris:

— Nu, se vi estas tiel saĝa, do diru al mi: per kio similas la saliko al la bovino?

La knabo enpensigis kaj komencis paroli malrapide:

— Rigardu — la bovino kreskas, kaj la saliko ankaŭ kreskas···

— Kaj kio plu?.,

— La bovino nutras sin, kaj la saliko nutras sin per la sukoj el la tero···

— Kaj kio plu?..

La bovino estas virinseksa, nu — kaj la salik o[11] estas ankaŭ virinseksa — klarigis Juzjo.

— Sed la bovino svingas la voston — diris mi.

— Kaj la saliko svingas la branĉojn — rediris li.

Tia sumo da argumentoj malfortigis mian kredon je la ekzisto de diferenco inter bestoj kaj kreskaĵoj. La opinio mem plaĉis al mi, kaj de post tiu tempo vekiĝis en mi la amo al la zoologio, resumita en la libro de Pisulewski. Dank' al la argumentoj de la ĝibuleto, mi komencis el tiu-ĉi objekto ricevi kvinojn.

Iun tagon Juzjo ne venis en la lernejon, kaj la sekvantan tagon antaŭ tagmezo oni diris al mi, ke iu frapas por elvoki min el la klaso. Mi elkuris sur la koridoron malkvieta, kiel kutime en similaj okazoj, sed, anstataŭ la inspektoron, mi ekvidis korpulentan viron kun helruĝa vizaĝo, violkolora nazo kaj ruĝaj okuloj.

La nekonato ekparolis per voĉo iom raŭka:

— Vi, knabo, estas Leśniewski?

— Mi.

Li faris duonpaŝon, kvazaŭ ŝanceliĝante, kaj li aldonis:

— Vizitu mian filon, Juzjon, tiun ĝibhavan, vi scias? Li estas malsana, ĉar antaŭhieraŭ oni sur lin iom surveturis···

11) *traduknoto: En Pola lingvo

Li ree ŝanceliĝis, ekrigardis min per siaj vagaj okuloj kaj foriris, piedfrapante laŭte la plankon. Mi eksentis, kvazaŭ iu verŝus sur min bolantan akvon. Ŝajnis al mi, ke mi pli ĝuste devus esti surveturita, sed ne tiu-ĉi kompatinda ĝibuleto, li — tiel bona kaj malfortika.

Posttagmeze okazis libertempo··· Mi ne iris jam hejmen tagmanĝi, sed mi kuris rekte al Juzjo.

Li loĝis kun sia patro ĉe fino de la urbo, en du ĉambretoj de teretaĝa domo. Kiam mi eniris, mi ekvidis la ĝibuleton kuŝantan sur mallonga liteto. Li estis sola, tute sola. Li spiris malfacile kaj tremis de malvarmo, ĉar la forno ne estis hejtita. Liaj pupiloj tiel vastiĝis, ke li havis preskaŭ nigrajn okulojn. En la ĉambreto estis sentebla humideco, kaj el la tegmento falis gutoj de degelanta glacio. Mi kliniĝis super la lito kaj demandis:

— Kio okazis al vi, Juzjo?

Li vigliĝis iom, malfermis la buŝon, kvazaŭ por rideto, sed — li nur ekĝemis. Li prenis mian manon per siaj sekiĝintaj manetoj kaj komencis paroli:

— Mi verŝajne mortos··· Sed mi timas tiel··· sola··· do mi petis, ke vi venu··· Tio··· daŭros···

ne longe, kaj al mi estos iom pli gaje…

Ankoraŭ neniam Juzjo ŝajnis al mi tia, kiel hodiaŭ. Ŝajnis al mi, ke el kriplulo fariĝas grandegulo.

Li komencis obtuze ĝemi kaj tusi, ĝis el lia buŝo eliĝis rozkolora ŝaŭmo. Poste li fermis la okulojn kaj spiris malfacile, kaj de tempo al tempo li tute ne spiris. Se mi ne sentus la premon de liaj varmegaj manetoj, mi opinius, ke li mortis.

Tiel ni sidis unu, du, tri horojn — silentante.

Mi preskaŭ perdis la kapablecon pensi; Juzjo ekparolis malofte kaj kun granda peno. Li diris al mi, ke sur lin surveturis de malantaŭe ia veturigilo, ke lin ekdoloris terure la spino, sed ĝi jam ne doloras, ke la patro forpelis hieraŭ la servistinon, kaj hodiaŭ li foriris serĉi alian…

Poste, ne liberigante mian manon, li petis ke mi diru la tutan preĝareton. Mi diris ĝin, kaj kiam mi komencis: „Kiam matenruĝo brilas“[12], li interrompis min:

— Diru ankaŭ — „Tutan nian taglaboron"[13]… Mi morgaŭ jam verŝajne ne vekiĝos…

La suno subiris, fariĝis ia griza nokto, ĉar

---

12) *traduknoto: preĝokanto matena
13) *traduknoto: preĝokanto vespera

malantaŭ la nuboj lumis la luno. En la domo malestis kandelo, cetere mi eĉ ne intencis ĝin ekbruligi. Juzjo estis ĉiam pli maltrankvila, li deliris kaj nur momente li rekonsciiĝis.

Estis jam malfrue, kiam el flanko de la strato ekfrapis bruege la pordeto. Iu trairis la korton, kaj, fajfante malfermis la pordon de nia ĉambro.

— La paĉjo? — ekĝemis la ĝibuleto.

— Jes, mia filo! — respondis la alveninto per raŭka voĉo. — Kiel vi fartas? Certe pli bone!.. Tiel devas esti!.. Ĉiam kuraĝe, mia filo···

— Paĉjo··· mankas lumo··· — parolis Juzjo.

— Malsaĝa-lumo!.. Jen kiu estas?··· li ekvokis, faletante ĉe mi.

— Estas mi··· — mi rediris.

— Ha! Lukas-edzino? bone!··· Dormu hodiaŭ, kaj morgaŭ — vi ricevos de mi batojn··· Mi estas guberniestro!··· Rum' jamajka!..

— Bonan nokton, paĉjo!.. bonan nokton!.. flustris Juzjo.

— Bonan nokton, bonan nokton, mia infano!. rediris la alveninto, kaj, — kliniĝinte super la lito — li kisis mian kapon. Mi sentis, ke sub la brako li havis botelon.

— Dormu bone, li aldonis — kaj morgaŭ

marŝu en la lernejon!.. Paŝe maarrŝ!.. Rum jamajka!.. li ekkriis kaj foriris en la alian ĉambron.

Tie li peze sidiĝis, kredeble sur kofron, li ekbatis per kapo la muron, kaj post momento — aŭdiĝis temp-mezura bul-bul-bul-sono, kvazaŭ iu trinkus.

— Kazjo!.. — flustris la ĝibuleto — kiam mi estos jam··· tie··· venu al mi de tempo al tempo. Vi diros al mi, kian taskon oni donis en la lernejo···

En la alia ĉambro ekkriis la alveninto:

— Sanon ni deziras al la sinjoro guberniestro!.. Vivu!.. Mi estas guberniestro!.. Rum jamajka!..

Juzjo komencis skuiĝi kaj paroli ĉiam pli maltrankvile:

— Tiel doloras min la sakro!.. Ĉu vi ne sidiĝis sur min, Kazjo? Kazjo!.. Ho, jam ne batu min plu!..

— Rum!.. Rum jamajka!.. Oni kriis en la alia ĉambro. Ree aŭdiĝis bulbulado, kaj poste — la botelo kun terura tinto ekbatis la plankon.

Juzjo altiris mian manon al sia buŝo, kaptis per dentoj la fingrojn kaj — subite li ilin ellasis. Li jam ne spiris.

— Sinjoro! — mi vokis. — Sinjoro! Juzjo mortis!..

— Kion vi babilas? — ekmurmuris voĉo en la alia ĉambro.

Mi saltis el la lito kaj stariĝis en la pordo, rigardante en la mallumon.

— Juzjo mortis!.. ripetis mi tute tremante.

La homo brue moviĝis sur la kofro kaj ekkriis:

— Foriĝu el ĉi-tie, vi malsagulo!.. Mi, lia patro, scias pli bone, ĉu li mortis!.. Vivu la sinjoro guberniestro'.. Rum jamajka!..

Mi terure ektimis kaj forkuris.

Dum la tuta nokto mi ne povis dormi, mi froste tremis kaj iaj sonĝaj vidaĵoj min turmentis. Matene piririgardis min la mastro de nia pensiono kaj li diris, ke mi havas febron, ke mi verŝajne infektis min de la surveturita Juzjo kaj — li ordonis starigi sur mian sakron dekdu tranĉkupojn. Post apliko de tiu-ĉi kuracilo sekvis, kiel diris la mastro, tia krizo, ke mi dum tuta semajno kuŝis en lito.

Mi ne ĉeestis la enterigon de Juzjo, kiun akompanis nia tuta klaso kun la instruistoj kaj la pastro-prefekto. Oni diris al mi, ke li havis nigran veluran ĉerkon, tiel malgrandan kiel violonkesteto.

La patro ploris terure, kaj sur la tombejo li kaptis la ĉerkon kaj volis forkuri kun ĝi. Sed malgraŭ tio oni Juzjon enterigis, kaj lian patron la komisario kun policisto forkondukis el la tombejo.

Kiam unuafoje mi ree venis en la lernejon, oni diris al mi, ke iu homo ĉiutage demandas pri mi. Kaj efektive je la dekunua horo mi estis elvokita.

Mi eliris — malantaŭ la pordo staris la patro de la mortinta Juzjo. Li havis vizaĝon helviolkoran kaj la nazon cindrogrizan. Li estis tute sobra, nur lia kapo kaj liaj manoj tremis.

Tiu-ĉi homo prenis min je la mentono kaj longe li rigardis atente en miajn okulojn, kaj poste li diris subite:

— Vi defendis Juzjon kiam oni lin turmentis en la klaso?..

— Ĉu tiu ĉi maljunulo freneziĝis? — mi ekpensis, sed mi respondis al li nenion.

Li ĉirkaŭprenis per manoj mian kolon kaj kisis kelkfoje mian kapon, murmuretante:

— Dio vin benu··· Dio vin benu!.. Li ellasis mian kapon kaj demandis refoje:

— Vi estis ĉe lia morto?.. Diru al mi la veron, ĉu li tre suferis?

Subite li repaŝis kaj diris rapide:

— Aŭ nenion··· diru jam nenion al mi!.. Ho, neniu scias, kiel mi estas malfeliĉa!..

El liaj okuloj komencis flui larmoj. Li kaptis ambaŭmane sian kapon, deturnis sin de mi kaj kuris al la ŝtuparo, kriante:

— Malfeliĉa mi!.. mizera··· mizera···

Li kriis tiel laŭte, ke sur la koridoron eliris la profesoroj. Ili rigardis lin, balancis la kapojn kaj ordonis, ke mi reiru en la klason.

Vespere iu makleristo alportis en la pensionon sufiĉe grandan kofron por mi, kaj karteton kun nur tiu-ĉi surskribo:

„De la malfeliĉa Juzjo — memoraĵo".

En la kofro estis multo da belaj libroj, post la mortinta Juzjo, kaj inter aliaj: Libro de la mondo, Historio de Cezaro Cantu, Don Quichot, Drezdena Galerio[14] kaj multaj aliaj. Tiuj ĉi libroj vekis en mi pasian deziron al pli serioza legado.

Estis jam printempo, kiam mi unuafoje ekiris sur la tombon de Juzjo. Ĝi estis tiel malgranda kaj ĝibigita, kiel li mem, Mi ekvidis, ke iu ĉirkaŭplantis ĝin per verdaj branĉetoj. Kelke da paŝoj pli malproksime, inter la herbo, mi trovis

---

14) *역주: 독일 드레스덴의 유명 미술관으로 1855년 개장.

kelke da boteloj kun la surskribo: Rum Jamaica. Mi sidis ĉirkaŭ unu horon, sed mi ne diris al Juzjo, kian taskon ni ricevis por la leciono, ĉar mi mem ne sciis, kaj li tion ne demandis.

Post semajno mi ree iris sur la tombejon. li tion ne demandis. Ree mi ekvidis branĉetojn, freŝe fiksitajn en la tombon de Juzjo, kaj inter la herbo — ree mi trovis kelke da tutaj kaj da ekrompitaj boteloj.

En komenco de la monato Majo disvastiĝis en la urbo neordinara novaĵo. Jen matene, ĉe la tombo de Juzjo, oni trovis la malvivan korpon de lia patro. Apud ĝi kuŝis duone malplenigita botelo kun la surskribo: Rum Jamaica.

La kuracistoj diris, ke tiu homo mortis je aneŭrismo. Tiuj okazintaĵoj reagis sur min strangamaniere. De post tiu tempo la societo de miaj kolegoj fariĝis peza por mi, kaj iliaj kriemaj amuzoj enuigis min. Tiam mi enprofundiĝis en la legadon de la libroj, kiujn al mi postlasis Juzjo, aŭ mi sekrete kuris malantaŭ la urbon, en la kavojn kovritajn per arbustaro, kaj vagante tie, mi meditis — Dio mem scias — pri kio. Ofte mi demandis min, kial Juzjo pereis tiel mizere, kaj kial lia patro estis tiel soleca, ke li eĉ devis premi sin karese al la tombo de la filo?

Mi sentis, ke la plej granda malfeliĉo estas la forlasiteco kaj mi komprenis, kial la kompatinda ĝibuleto serĉis amikon.

Mi ankaŭ bezonis nun amikon. Sed inter la kolegoj iakaŭze neniu estis laŭ mia gusto. Mi rememorigis al mi mian fratinon. Ne!··· la fratino ne anstataŭos amikon.

La kolegoj diris pri mi, ke mi sovaĝiĝis, kaj la mastro de nia pensionejo havis jam nenian dubon pri tio, ke mi fariĝos granda krimulo.

Alvenis la solena horo, kiam la inspektoro anoncis al ia tuta mondo, ke mi ricevis la promocion en la duan klason. Tiu-ĉi okazintaĵo plenigis min per ĝoja miro. Subite komencis ŝajni al mi, ke, kvankam la lernejo posedas superajn klasojn, tamen neniu estas tiel perfekta, kiel — la dua. Mi certigadis la kolegojn, ke la lernantoj de la ceteraj klasoj, de la tria ĝis la sepa inkluzive, ripetas nur tion, kion ili lernis en la dua; kaj en la animo mi timis, ke la profesoroj ne rimarku post la ferioj, ke mi ricevis mian promocion nur dank' al eraro kaj ke ili ne reirigu min en la unuan klason.

La sekvantan tagon mi tamen iel kutimiĝis al

mia feliĉo, kaj kiam mi veturis hejmen por la libertempo, tiam, dum la tuta vojaĝo, mi klarigadis al la veturigisto, ke nur mi, unu sola en la klaso, ricevis la merititan promocion kaj ke mia promocio estis la plej bona. Mi citis al li tiel nerefuteblajn argumentojn, ke li eĉ komencis oscedi. Sed kiam mi eksilentis, mi konvinkiĝis kun timo, ke mi mem estas plena de duboj.

La duan tagon, alveturante al la domo, mi renkontis envoje la fratinon Zonjon, kiu estis kurinta al mi renkonte. Mi tuj sciigis ŝin, ke mi jam estas en la dua klaso, kaj ke mia amiko, Juzjo, mortis, ĉar li estis surveturita. Ŝi diris, ke ŝi sopiris al mi, ke ŝia kokino havas dek kokidojn, ke al la sinjorino grafino, dufoje en semajno, alveturas vizite iu sinjoro, ke ili havas guvernistinon, kiu amas la bienskribiston, kaj ke la mortinta Juzjo estas por ŝi — t. e. por Zonjo — tute indiferenta, ĉar li estis gibhava. Sed malgraŭ tio ŝi kompatas lin

Dirante tion, ŝi ŝajniĝis granda fraŭlino.

La patron mi ekvidis tagmeze. Li salutis min tre kore kaj diris, ke por la ferioj li donos al mi ĉevalon kaj permesos pafi per la granda pistolo. Kaj poste li aldonis:

— Iru tuj en la palacon kaj salutu la sinjorinon grafinon, kvankam···

Subite li svingis la manon.

— Kio do okazis, patro?··· — mi demandis kiel plenkreskinta homo, kaj mi eĉ ektimis pro mia kuraĝo.

Neesperite la patro respondis senkolere, kun nuanco de maldolĉeco:

— Ŝi jam ne bezonas la maljunan plenrajtigiton. Baldaŭ estos ĉi tie nova sinjoro, kaj tiu-ĉi eĉ mem scipovos···

Li interrompis, kaj forturninte sin, li ekmurmuris tra la dentoj: — Malgajni la bienon en kartludo···

Mi komencis konjekti, ke dum la tempo de mia foresto okazis tie ĉi grandaj ŝanĝoj. Malgraŭ tio mi iris saluti la biensinjorinon. Ŝi akceptis min favore, kaj mi rimarkis, ke ŝiaj malgajaj okuloj havas hodiaŭ tute alian esprimon.

Revenante, mi renkontis sur la korto la patron kaj mi diris, ke la sinjorino grafino estas tiel gaja, kiel neniam. Ŝi turniĝas, kunfrapas klake la manojn, tute same, kiel ŝiaj ĉambristinoj.

— Nu! ĉiu virinaĉo, antaŭ la edziniĝo, havas bonan humoron··· — rediris la patro, kvazaŭ al si mem.

En tiu ĉi momento alveturis antaŭ la palacon malpeza kaleŝo, kaj el ĝi elsaltis altkreska viro, kun nigra barbo kaj kun flamaj okuloj. Ŝajnas, ke la sinjorino grafino elkuris en la antaŭvestiblon, ĉar mi ekvidis, kiel tra la pordo ŝi etendis kontraŭ li ambaŭ manojn.

La patro, kiu iris antaŭ mi, ridis mallaŭte kaj murmuris:

— Ha! ha!.. Ĉiuj virinaĉoj freneziĝis!.. La sinjorino sopire ĝemetas al la elegantulo, kaj la guvernistino al la bienskribisto··· Por Salomeo restis mi, aŭ la pastro-preposto··· Ha! ha!···

Mi havis la dekduan jaron de mia aĝo kaj mi jam multe aŭdis pri la amo. Tiu kolego, kiu razis la lipharojn kaj sidis tri jarojn en la unua klaso, parolis al ni pri siaj sentoj al iu fraŭlineto, kiun kelkfoje dum tago li vidis sur la strato, aŭ en la fenestreto. Cetere mi mem legis kelke da tre belaj romanoj kaj mi bone memoras, kiom da korturmento kaŭzis al mi iliaj herooj.

Tiakaŭze iaj duonlaŭtaj vortoj de mia patro faris sur min malagrablan impreson. Mi eksentis simpation por nia biensinjorino, kaj eĉ por la guvernistino, kaj, aliflanke, antipation al la barbhava sinjoro kaj al la bienskribisto. Neniam mi tion dirus laŭte (mi ne kuraĝus eĉ ekpensi tion precize), sed ŝajnis al mi, ke same nia sinjorino, kiel ankaŭ la guvernistino farus multe pli konvene, se ili sopirus··· al mi!..

En la daŭro de kelke da sekvantaj tagoj mi ĉirkaŭkuris la vilaĝon, la parkon, la stalojn; mi rajdis sur ĉevalo, naĝis en boato, sed baldaŭ mi rimarkis, ke mi komencas enui. Vere, la patro ĉiam pli ofte interparolis kun mi kiel kun plenkreskinta homo; la sinjoro brandfaristo invitadis min trinki ĉe li malnovan brandon, kaj la bienskribisto altrudadis al mi sian amikecon kaj li eĉ promesis rakonti al mi siajn korsuferojn, kiujn li spertas kaŭze de la guvernistino, sed — tio ne amuzis min. La malnovan brandon de la sinjoro brandfaristo, kaj ankaŭ la konfidaĵojn de la bienskribisto mi fordonus por unu bona kolego. Sed kiam mi en la penso elektadis inter tiuj, kiuj kune kun mi finis la unuan klason, mi konvinkiĝis, ke neniu el ili konvenus al mia hodiaŭa agordiĝo.

Iufoje, el la profundaĵo de mia animo, eligadis la malgaja ombro de la mortinta Juzjo kaj ĝi rakontis al mi nekonatajn aferojn, per voĉo pli mallaŭta ol la bloveto de somera vento. Tiam ĉirkaŭadis min ia kortuŝeco kaj mi sopiris, sed mi mem ne scias, al kio…

Kiam foje, sub la influo de tiaj imagaĵoj, mi vagis sur la herbo-kovriĝantaj piedvojetoj de la parko, neesperite baris al mi la vojon la renkonte kuranta fratino Zonjo kaj ŝi demandis:

— Kial vi ne ludas kun ni?

Fariĝis al mi varmege.

— Kun kiu?…

— Kun mi kaj kun Lonjo.

Restos eterna enigmo, kial en tiu ĉi momento la nomo de Lonjo miksiĝis en mia imageco kun la sonĝa vidaĵo de Juzjo kaj kial mi ruĝiĝis tiel, ke mia vizaĝo flamis kaj ŝvito aperis sur mia frunto.

— Kion? Vi ne volas ludi kun ni? — demandis mirigite la fratino. — Dum la Pasko tie ĉi estis lernanto el la tria klaso, kaj li tute ne estis tiel fiera, kiel vi. Tutajn tagojn li promenis kun ni.

Kaj denove senkaŭze mi eksentis malamon al tiu triaklasano, kiun mi neniam vidis. Fine mi respondis al Zonjo per tono malafabla, kvankam en la koro mi ne havis ofendosenton kontraŭ ŝi:

— Mi ne konas tiun Lonjon.

— Kiamaniere vi ne konas? Ĉu vi ne memoras, kiel pro ŝi batis vin la antaŭa guvernistino? Kaj ĉu vi forgesis, kiel Lonjo ploris kaj propetis, ke oni faru al vi nenion malbonan, kiam forbrulis tiu··· staleto?···

Kompreneble mi memoris ĉion, kaj plej bone Lonjon mem; sed mi devas konfesi, ke la mnemonikaj kapablecoj de la fratino kolerigis min. Ŝajnis al mi afero nekonvena al la graveco de mia uniformo, ke la homoj loĝantaj en vilaĝo, kaj speciale komencantaj plenkreski knabinoj, havas tian bonan memoron.

Sub influo de tiuj-ĉi sentoj, mi respondis kiel maldelikatulo:

— Eh! lasu min trankvile··· vi, kune kun via Lonjo.

Kaj mi ekiris en la internon de la parko, egale malkontenta pro la ne ĝustatempaj rememoroj de la fratino, kiel ankaŭ pro tio, ke mi ne ludas kun la knabinetoj. Cetere mi mem ne scias, kion mi volis, sed mi tiel koleris, ke kiam mi kunvenis kun Zonjo hejme, mi ne volis interparoli kun ŝi.

La malgajigita fratino penadis eviti miajn okulojn, sed tiam mi serĉis ŝin, sentante, ke io mankas al mi kaj ke la demandon pri komuna ludado mi starigis tute malĝuste. Do, por plibonigi la situacion, kiam la ĉagrenita Zonjo komencis teksfliki ion, mi kaptis senelekte iun libron kaj, post kelkminuta foliumado mi ĵetis ĝin sur la tablon, dirante kvazaŭ al mi mem:

— Ĉiuj knabinoj estas malsaĝaj!..

Ŝajnis al mi, ke tiu ĉi aforismo estos tre saĝa. Sed apenaŭ mi ĝin finis, mi eksentis, ke en ĝi estas io malbongusta. Mi komencis penti pro la ofendo de l' fratino kaj hontiĝis··· Dirante jam nenion pli, mi kisis Zonjon en ambaŭ vangojn kaj mi ekiris en la arbaron.

Dio! kiel malfeliĉa mi estis tiun ĉi tagon··· Tamen tio estis nur la komenco de miaj suferoj. Mi ne volas ion kaŝi. Dum la tuta nokto mi sonĝis pri Lonjo kaj de nun, anstataŭ la ĝibuleton, mi vidis ŝian ombron en la sonĝaj vidaĵoj. Ŝajnis al mi, ke ŝi sola povus esti tiu amiko, kiun delonge mi bezonas. En la revoj mi alparolis ŝin tiel longe kaj tiel bele. kiel oni skribas en romanoj, kaj mi estis tiel ĝentila, kiel iu markizo. Efektive, mi eĉ ne estis kapabla iri en la parkon, kiam en ĝi ludis la knabinoj, kies gajan ridadon, interplektatan per la admonoj de la guvernistino, mi aŭskultis malantaŭ la parko.

Mi memoras bone la lokon, kien oni elĵetis kutime la balaaĵon el la palaco, kaj kie kreskis altaj urtikoj kaj lapoj. Mi staris tie dum tutaj kvaronhoroj por ekaŭdi kelkajn malklarajn frazojn, la bruon de ŝuoj sur la piedvojeto, kaj ekvidi la rapide pretermoviĝantan robeton de Lonjo, kiam ŝi saltis trans la ŝnuron.

Post momento ĉio silentiĝis en la parko kaj tiam mi sentis la varmegan ardon de la suno kaj mi aŭdis la senfinan zumadon de la muŝoj, svarmantaj super la balaaĵejo. Poste atingis miajn orelojn la resonoj de la ridoj kaj vetkuroj; tra la fendaĵo en la tabulbarilo rapide pretermoviĝis la robetoj, kaj poste ree superis ĉion la bruado de arboj, la ĉirpado de birdoj, la varmego, kaj la trudemaj muŝoj eniris preskaŭ en mian buŝon.

Subite aŭdiĝis Voĉo el flanko de l' palaco:

— Lonjo!.. Lonjo!.. Venu en la ĉambron…

Jen la guvernistino. Mi ekmalamus ŝin, se mi ne scius, ke ankaŭ ŝi estas malgaja.

Dum unu el la ekskursoj al la tabulbarilo mi konvinkiĝis, ke mi ne estas sola. El la altaĵo mi ekvidis inter la verda densaĵo de l' laparo, grizan de malnoveco, pajlan ĉapelon, tra kies supro estis videbla helblonda hartufo, ĉar la ĉapelo ne havis fundon.

Kiam mi estis farinta kelkajn paŝojn en tiu direkto, la hartufo kaj la ĉapelo leviĝis super la lapon kaj montriĝis sep-aŭ eble okjara knabo, en longa sed malpura ĉemizo, kuntirita ĉe la kolo per ŝnureto. Mi ekparolis al li, sed la knabo subite leviĝis kaj forkuris, rapide kiel leporo, en la direkto al la kampo. La ruĝa kolumo de mia uniformo kaj la arĝentumitaj butonoj faris ĝenerale fortan impreson sur la vilaĝanajn infanojn.

Malrapide mi foriris en la direkto al la bienkonstruaĵoj, kaj, laŭ tio, samtempe la knabo proksimiĝadis al la tabulbarilo. Kiam mi kuŝiĝis post konstruaĵo, li suriris la balaaĵejon kaj almetis okulon al la sama fendaĵo, tra kiu mi estis rigardanta en la ĝardenon. Mi tre dubas, ĉu li ion vidis, sed li rigardis senĉese.

Kiam la sekvantan tagon mi venis sur la postenon, por observi la ludon de la fraŭlinetoj, ree mi ekvidis inter la laparo la grizan ĉapelon, super ĝi la helblondan hartufon, kaj sub la ĉirkaŭŝirita ĉapelrando paron da fiksitaj en min okuloj. Ĉar la suno tre brogis, do la knabo deŝiris mallaŭte grandan lapfolion, kaj ŝirmis sin per ĝi, kvazaŭ per ombrelo. Tiam mi ne vidis plu lian ĉapelon, nek la hartufon, nur la grizan ĉemizon iom malfermitan sur la brusto.

Kiam mi estis foririnta, la knabo ree surkuris

la balaaĵejon kaj ree, kiel hieraŭ, almetis la okulojn al la fendaĵo, pensante kredeble, ke almenaŭ tiun ĉi fojon mi ne forobservis ĉiujn vidindaĵojn, kiuj estis en la parko.

En tiu ĉi momento mi ekkomprenis la ridindecon de miaj agoj. Estus bela historio, se la patro, aŭ sinjoro brandfaristo, aŭ eĉ-Lonjo mem ekvidus, ke mi, lernanto de la dua klaso en uniformo, staradas ĉe la tabulbarilo sur balaaĵo, alternante kun iu paŝtista kandidato, kies ĉemizo eble neniam estis lavita!

En tiu ĉi momento mi ekkomprenis la ridindecon de miaj agoj. Estus bela historio, se la patro, aŭ sinjoro brandfaristo, aŭ eĉ-Lonjo mem ekvidus, ke mi, lernanto de la dua klaso en uniformo, staradas ĉe la tabulbarilo sur balaaĵo, alternante kun iu paŝtista kandidato, kies ĉemizo eble neniam estis lavita!

Mi hontiĝis. Ĉu mi ne havas la rajton eniri videble en la ĝardenon, ne kaŝante min en anguloj, kiel tiu knabo kun ĉirkaŭŝirita ĉapel o?… La balaaĵejo kaj la fendaĵo en la tabulbarilo abomeniĝis al mi, sed samtempe vekiĝis en mi la sciemo: kiu estas tiu ĉi knabo? Infanoj en lia aĝo jam paŝtas anserojn, kaj li pasigas senutile la plej belan junecon, vagante malantaŭ la bienkorto, spionas fremdajn aferojn, kaj demandite, anstataŭ respondi konvene, forkuras timeme de l' fremdulo.

— Atendu — mi ekpensis — vi min ne ekvidos tie ĉi refoje, sed anstataŭe, mi esploros, kiu vi estas.

Mi memoras, ke en romanoj, krom herooj kaj heroinoj, estas tiaj enigmaj nekonatoj, pri kiuj oni devas esti singardema kaj ĝustatempe senfortigi iliajn intrigojn.

Post kelkaj tagoj, neniun demandante, mi eksciis ĉion pri la mistera nekonato. Li ne estis intriganto. Li estis Valĉjo, filo de la kortega vazlavistino; ĉiuj lin konis, sed neniu sin okupis pri li. Tial la knabo havis multe da libera tempo, kaj, kiel mi mem spertis, uzis ĝin en maniero ne tute agrabla por aliaj.

Valĉjo neniam havis patron, pro kio ĉiuj tedis lian patrinon, kiu estis virino iom kolerema. Je la sarkasmaj aludoj de la servistaro la vazlavistino respondadis per krio kaj insultoj, kaj ĉar tio ĉi videble ne sufiĉis al ŝi, do la reston — ŝi rebatis sur Valĉjon.

La knabo rampis ankoraŭ kvarpiede kaj surhavis ĉemizon kuntiritan en nodon sur la nuko (kio faris tian efekton, kvazaŭ li ĝin tute ne posedus), kaj jam oni nomis lin trovitaĉo.

— Vi lin trovis?··· — demandis tiam la patrino kaj ŝi kriis plu:

— Dio vin punu por mia maljustaĵo!.. Ke viaj manoj kaj piedoj kurbiĝu!.. Vi pereu, hundidaĉo!..

La lasta deziro koncernis Valĉjon, kiu senpere poste ricevadis piedpuŝon malsupre de tiu ĉemiza nodo. La infano, kiam ĝi estis ankoraŭ malsaĝa, respondis je tia regalo per ĝema ploro. Sed kiam ĝi fariĝis pli prudenta, kio sekvis sufiĉe rapide, tiam ĝi silentis kiel kuniklo kaj rampis kutime sub la tabulliton, malantaŭ la grandan kuvon, en kiu la porkoj ricevis manĝaĵon. Videble li ne volis, ke oni verŝu sur lin varmegan akvon, kiel tio okazis al li unu fojon.

Estis ankaŭ tiel, ke Valĉjo sidis sub la tabullito dum tutaj horoj, ĝis kiam kunvenis homoj por tagmanĝi aŭ vespermanĝi. Iufoje, vidante la kapon de l' infano, elmetitan el sub la tabullito, kaj liajn okulojn, en kiuj brilis, larmoj de freŝa doloro kaj — la sciemo al farunbuletoj, la bienservistoj demandis la patrinon:.

— Kaj vi nenion donas al tiu, kiun vi trovis inter la terpomoj..

— Li mordu kune kun vi la teron!.. respondis la incitita virino kaj, kvankam antaŭe ŝi intencis nutri Valĉjon, nun ŝi ne donis manĝi al li.

— Oni ne povas ja permesi tion, ke la bubo, kvankam li estas trovitaĉo, mortu de malsato — persvadis al ŝi la aliaj virinoj.

— Ĝuste tial li mortaĉos, spite al vi, se vi tiel mokparolas!…

Kaj ĉar ŝi sidis iom dorse al la tabullito, sur sitelo, do Valĉjo ricevis kalkanbaton en la dentojn.

Tiam la bienservistoj, por kolerigi la patrinon, eltiradis lin el la kaŝiĝejo kaj nutris.

— Nu, Valĉjo — diris unu el ili — kisu al la hundo la voston, tiam vi ricevos farunbuletojn.

La knabo ĉiam precize plenumis la ordonon, kaj por tio li glutis grandajn farunbulojn, eĉ ne maĉante ilin.

— Nu, ekbatu la patrinon sur la kapon, tiam vi ricevos lakton…

— Ho, kurbiĝu viaj manaĉoj! — kriis la vazlavistino, kaj la knabo — forkuris malantaŭ sian lavkuvon.

Iufoje, spiregante, timigite, li kuris sur la bienkorton kaj kaŝiĝis en la densa arbetaro, kreskanta kontraŭ la palaco. Kaj kiam liaj larmoj sekiĝis, li vidis en la antaŭvestiblo belan tableton, apud ĝi du seĝojn, sur ili Lonjon kaj mian fratinon, al kiuj la ĉambristino ligis buŝtukon sub la mentonon, Salomeo enverŝis ja supon, kaj la sinjorino grafino diris:

— Blovu, infanoj, ne brogu vin, ne malpuriĝ u··· Kaj eble ne sufiĉe dolĉa?···

Kiam la bienservistoj estis foririntaj al la laboro kaj en la kuirejo estis neniu, la vazlavistino eliris sur la korton kaj vokis:

— Valĉjo!.. Valĉjo!.. Venu tien ĉi···

Laŭ maniero de l' vokado la knabo ekkonis, ke li povas eniri, kaj li kuris en la direkto al la kuirejo. Tie li ricevis kutime de l' patrino pecon da pano, lignan kuleron kaj iom da barĉo en grandega plado, el kiu manĝis ses personoj. Li sidiĝis sur la tero, la patrino starigis al li la pladegon inter la krurojn, kaj, ordiginte la ĉemizon sur la ŝultroj ŝi diris:

— Kaj se vi ankoraŭ iam kisos al la hundo la voston, mi kalkulos ĉiujn viajn ostaĉojn. Memoru tion!

Poste ŝi iris lavi la kuirejan vazaron.

Baldaŭ, kvazaŭ aperante el sub tero, venadis el ie korthundo kaj sidiĝis kontraŭ la knabo. Komence, klakante per la dentoj, li forpelis muŝojn, oscedis kaj ĉirkaŭlekis sian buŝon. Poste li flaris la barĉon foje, duafoje — kaj singarde enprofundigis en ĝin sian langon. Valĉjo ekbatis per kulero lian kapon. La hundo repaŝis, ree oscedis kaj — ree plaŭde trinkis kelkajn glutojn, iom pli kuraĝe. Poste la knabo povis jam frapi per la kulero lian kapon, kiom li volis, ĉar la hundo, ricevinte apetiton, por ĉiuj mondotrezoroj ne forigus la buŝon el la plado. Sed ankaŭ Valĉjo ekrimarkis, ke tiu estos pli prava, kiu formanĝos kiel la unua, kaj li manĝis, ke li eĉ komencis spiregi, ĉe unu rando de l' plado, kaj la hundo plaŭde trinkis ĉe la alia.

Se la patrino havis bonan humoron, kaj Valĉjo estis apude, tiam li ricevis frandaĵojn el la palaca tablo.

— Jen havu, amuzu vin — diris la vazlavistino, donante al li pecetojn de kuketoj, teleron malpurigitan per saŭco, fiŝan kapon, neĉirkaŭmorditan flugileton, aŭ glason, sur kies fundo troviĝis iometo da kafo kaj la resto de nesolvita sukero. Kiam li ĉion elsuĉis el la glaso, aŭ pure ellekis la taleron, tiam demandis lin la patrino:

— Nu — ĉu ĝi estas bona?

Valĉjo apogis tiam la manojn sur la koksoj, kiel tion faris la bienservistoj post tagmanĝo, li ekspiris profunde, flanken-ŝovis sian malnovan ĉapelon kaj respondis:

— La homo, dank' al Dio, iom manĝis!··· Oni devas iri al la laboro···

Li forlasis la kuirejon kaj iris ien por tuta duontago.

Siajn ludojn li konformiĝis al tio, kion faris la pli maljunaj. Dum la plugado li eligis el malantaŭ la trogo sian vipeton, prenis en la manon la unue trovitan barilpaliseton, aŭ radikon de renversita arbo kaj — li plugis dum tutaj horoj, kompreneble balanciĝante en la sama loko kaj vokante:

— Bovoj al si! si!

Se oni kaptis fiŝojn, li elserĉis inter la balaaĵoj malnovan kribrilon kaj kun nelacigebla pacienco li subakvigadis ĝin. Aŭ li sidiĝis sur bastono kaj rajdis trinkigi la ĉevalojn ĉe la puto. Foje, trovinte apud la ŝafejo malnovajn bastŝuojn, li ĵetadis ilin sur la akvon kaj li tiamaniere naĝis per boato — kompreneble en sia imageco.

Unuvorte — li amuzis sin bonege, nur li neniam ridis. Sur lia infana vizaĝo fiksiĝis la esprimo de neforigebla seriozeco, kiun iufoje anstataŭis nur la timo, En la grandaj okuloj estis videbla eterna miriĝo, kiel ĉe homoj, kiuj dum longaj jaroj rigardis neaŭditajn, strangajn aferojn.

Valĉjo scipovis lerte eliĝi el la domo por tutaj tagoj. Kaj la bienservistoj ne miris, se iumatene ili trovis lin en la garbaro, aŭ en la arbaro sub arbo. Li scipovis ankaŭ stari en mezo de l' kampo dum longa tempo, tute senmove, kiel griza koloneto, kaj kun malfermita buŝo rigardi, oni ne scias kion. Mi lin trovis foje en tia pozicio, kaj estante sufiĉe proksime, mi aŭdis kiel li ekĝemetis.

Mi ne scias, kial la ekĝemo de tiel malgranda figureto min ekteruris. Mi sentis ian riproĉon kontraŭ iu, kaj samtempe mi ekametis Valĉjon. Sed, kiam mi faris kelke da paŝoj al li iom pli kuraĝe, la knabo kvazaŭ vekiĝis kaj forkuris fulmrapide en la arbustaron.

Tiam naskiĝis en mia kapo la stranga ideo, ke Dio, kiu ĉiam rigardas tian infanon, devas havi malgajan animon. Mi komprenis ankaŭ, kial sur la sanktaj bildoj li estas prezentita ĉiam serioza, kaj kial en la preĝejo oni devas interparoli mallaŭte kaj iri sur piedpintoj. Tia malgrava hometo kaŭzis, ke, anstataŭ kaŝi min malantaŭ la tabulbarilo, mi decidis viziti la parkon, sciiginte antaŭe Zonjon, ke de nun mi ludos kune — kun ŝi kaj kun Lonjo.

Kompreneble tiu-ĉi projekto ravis mian fratinon.

— Vi estu en la parko tiam — ŝi diris — kiam ni ambaŭ eliros promeni. Salutu ankaŭ la guvernistinon, kiu ĉiam legas librojn en la altano; sed ne interparolu longe kun ŝi, ĉar ŝi ne ŝatas, kiam oni ŝin malhelpas. Kaj poste vi vidos, kiel ni ĝojos.

La saman tagon, ĉe la tagmanĝo ŝi diris al mi kun mistera mieno:

— Venu je la tria horo, mi diris jam al Lonjo, ke vi ĉeestos. Kiam ni eliros el la palaco — mi ektusos···

La fratino komencis ian laboron, kaj mi, kompreneble, eliris, ĉar, laŭvere, mi neniam volonte okupis la lokon en la ĉambro. Mi jam estis en la antaŭvestiblo, kiam Zonjo elkuris malantaŭ mi:

— Kazjo! Kazjo!

— Kion do?···

— Kiam mi ektusos, vi scios, kion tio signifas?··· — ŝi diris solene.

— Kompreneble.

Ŝi revenis en la ĉambron, sed ankoraŭ tra la fenestro ŝi ekvokis al mi:

— Mi ektusos··· Memoru!

Kaj kien mi irus, se ne en la parkon, kvankam ĝis la difinita momento mankis ankoraŭ multe pli ol unuhoro kaj duono. Mi estis tiel enpensiĝinta, ke mi ne scias, ĉu dum tiu ĉi tago kantis iu birdo en la ĝardeno, kiu estis kutime tre vivoplena. Mi ĉirkaŭkuris ĝin kelkfoje, kaj poste mi sidiĝis en boaton, ligitan al la bordo, kaj ne povante veturi, almenaŭ mi balanciĝis en ĝi pro enuo.

Mi pripensadis, kiamaniere mi renovigos la konatecon kun Lonjo. Tio estis okazonta jene: Kiam Zonjo ektusos, mi eliros el la flanka piedvojeto kun mallevita kapo, en la ĉefan aleon···

Tiam Zonjo diros:

„Rigardu, Lonjo, jen mia frato, sinjoro Kazimiro Leśniewski, lernanto de la dua klaso, amiko de tiu malfeliĉa Juzjo, pri kiu mi tiom al vi parolis."

Lonjo faros tiam riverencon, kaj mi, depreninte la ĉapon, diros:

„Jam longe mi intencis"··· Ne, tiel estas malbone! „Jam longe mi deziris renovigi kun vi, sinjorino"··· Ho, ne!··· Pli bone estos tiel: „Jam longe mi deziris esprimi al vi mian respekton"···

Tiam Lonjo demandos:

„Vi, sinjoro, restadas jam longe en nia ĉirkaŭaĵo?···" Ne, ŝi ne tiel diros, sed tiel: „Agrable estas al mi, ekkoni vin, sinjoro, pri kiu mi tiel multe aŭdis de Zonjo". Kaj poste kion?··· Poste — jen: „Ĉu vi ne enuas en nia ĉirkaŭaĵo? Vi alkutimiĝis ja al granda urbo". Kaj mi respondos: „Mi enuis, ĝis kiam mi ankoraŭ ne havis vian societon, sinjorino"···

En tiu ĉi momento, sub la supraĵo de akvo rapide preterŝoviĝis ezoko, longa ĉirkaŭ duono da ulno··· Ĉe simila efektiveco malaperis la revoj. Tie ĉi, en la lageto, estas tiaj fiŝoj, kaj mi — ne havas fiŝhokon!···

Mi leviĝis rapide el la boato, por rigardi, ĉu hejme estas hoketoj, kaj — malmulte mankis — mi preskaŭ ekpuŝis Lonjon, kiu ĵus volis komenci salti trans la ruĝan ŝnureton.

La fiŝoj, hoketoj, la plano pri solena interkoniĝo — ĉio je unu fojo miksiĝis en mia kapo. Jen — la ezoko!··· Mi eĉ forgesis saluti Lonjon; pli malbone ankoraŭ — ĉar mi forgesis paroli. Sed jen, kia ezoko··· Lonjo, belega brunharulineto, kun precize konturita buŝo, kiu ĉiumomente kunmetiĝis alimaniere, ekrigardis min de supre kaj, malantaŭen jetinte siajn abundajn buklojn, ekdemandis min simple:

— Ĉu estas vere, ke vi truigis nian boaton?

— Mi?…

— Tiel diris al mi la ĝardenisto, kaj nun la panjo ne permesas al ni akvoveturi kaj ŝi ordonis alligi la boaton al la bordo, kaj kaŝi la remilojn.

-Sed, vere, kiel mi amas la patron, mi ne truigis la boaton! — mi senkulpigis min, kiel antaŭ nia lerneja inspektoro.

— Ĉu nur certe? — demandis Lonjo, akre rigardante en miajn okulojn. — Ĉar vi, sinjorido, ŝajnas esti kapabla fari tion…

La paroltono de la fraŭlineto ne plaĉis al mi. Je koboldo! la plej forta el miaj kolegoj ne alparolus min tiamaniere.

— Se mi diras ne, estas jam tute certe!… mi respondis, forte akcentante la ĝustajn vortojn.

— Tiaokaze la ĝardenisto diris malveron — rediris Lonjo, sulkigante la brovojn.

— Li faris bone — mi respondis — ĉar la junaj sinjorinoj ne scias naĝi per boato.

— Kaj vi scipovas tion, sinjorido?

— Mi scipovas naĝi per boato kaj per manoj,

kaj ankaŭ dorse kuŝante, aŭ starante.

— Ĉu vi nin veturigos?

— Se via panjo permesos, tiam mi faros tion.

— Do rigardu, sinjorido, ĉu la boato ne estas truhava.

— Ĝi ne estas.

— Kaj de kie aperis tie la akvo?

— De la pluvo.

— De la pluvo? Nia parolado interrompiĝis. Tamen mi gajnis tiom, ke mi kuraĝe rigardis Lonjon, kaj, kiome la afero prezentiĝas nun al mi, ŝi tute min ne respektis. Kontraŭe, ne formoviĝante el la loko, ŝi komencis saltadi trans la ŝnuron, intertempe parolante kun mi.

— Kial vi ne ludis kun ni?

— Ĉar mi estis okupita.

— Kion vi faras?

— Mi lernas.

— Dum la ferioj neniu ja lernas.

— En nia klaso oni devas lerni eĉ dum la libertempo.

Lonjo transsaltis dufoje la ŝnuron kaj diris:

— Adaĉjo estas en la kvara klaso, kaj tamen dum la festoj li ne lernis. Ah, vere!… vi ne konas Adaĉjon.

— Kiu diris al vi, sinjorino, ke mi lin ne

konas? — mi demandis fiere.

— Ĉar vi, sinjorido, estis en la unua klaso, kaj li en la tria⋯

Ree ŝi faris du saltojn trans la ŝnuron⋯

Mi pensis, ke okazos al mi io stranga.

— Kun mi rilatiĝis eĉ la kvara klaso — mi rediris incitite.

— Estas indiferente, ĉar Adaĉjo lernas en Varsovio, kaj vi⋯ Kie vi vizitas la lernejon?⋯ Kie?⋯

— En Siedlce — mi apenaŭ respondis, per mallaŭtiĝinta voĉo.

— Kaj mi veturos ankaŭ Varsovion — klarigis Lonjo kaj aldonis:

— Eble vi, sinjorido, diros al Zonjo, ke mi estas tie-ĉi⋯

Kaj ne atendante mian konsenton aŭ malkonsenton, ŝi ekkuris al la laŭbo, ĉiam saltante.

Mi estis kvazaŭ narkotita, mi ne povis kompreni, kiel tiu knabino min traktas.

— Lasu min trankvile, kune kun via amuzo — mi ekpensis vere kolerigite. — Lonjo estas malĝentila, maldelikata — nazmukulino!⋯

La supraj rimarkoj ne malhelpis al mi tamen, plenumi tuj ŝian ordonon. Mi ekiris hejmen tre rapide, eĉ eble tro rapide, verŝajne pro la interna ekscitiĝo.

Zonjo estis jam prenanta sian ombrelon, por iri en la ĝardenon.

— Nu, — mi diris, ĵetante mian ĉapon en angulon — mi interkoniĝis kun Lonjo.

— Do kio?··· demandis la fratino scieme.

— Nenio grava!··· — respondis mi, ne rigardante en ŝiajn okulojn.

— Ĉu ne vere, kiel ŝi estas bona, kiel bela?···

— Ah! tio estas por mi tute indiferenta. Ŝi petas vin, ke vi venu tien.

— Kaj vi ne iros?.

— Ne.

— Kial? — demandis Zonjo, rigardante en miajn okulojn..

— Lasu min trankvile!··· respondis mi malafable. Mi ne iros, ĉar ne plaĉas al mi···.

Mia voĉo devis esti tre decidiga, ĉar la fratino, nenion pli demandinte — eliris. Vidante, ke ŝi preskaŭ kuras, mi vokis ŝin tra la fenestro···

— Zonjo, mi vin petas — diru al ŝi nenion··· Diru, ke mi··· ke la kapo min iom doloras..

— Nu, nu, ne timu. Mi ne malutilos al vi..

— Memoru, Zonjo, se vi min amas eĉ iomete..

- Kompreneble ni kisis nin tre kore..

Malfacile estas hodiaŭ renovigi en la memoro la sentojn, kiuj turmentis min post la foriro de Zonjo. Kiel Lonjo kuraĝis interparoli kun mi tiamaniere?… Vere, la instruistoj, kaj precipe la inspektoro, traktis min sufiĉe familiare, nu — sed ili estas homoj maljunaj. Sed inter la kolegoj, en la unua (nun jam dua klaso), mi ĝuis respekton. Kaj jen tie ĉi, en vilaĝo — bonvolu aŭskulti, kiel interparolis kun mi la patro, kiel klinsalutis min la bienservistoj, kiomfoje diris al mi la skribisto: „Sinjoro Kazimiro, eble vi bonvolos veni al mi, por fumi pipeton?" Kaj mi respondis: „Mi dankas al vi, sinjoro, mi ne volas alkutimiĝi." Kaj li: „Kiel vi estas feliĉa, sinjoro, ke Vi havas tian povon super vi mem… Vi ne cedus eĉ al la guvernistino…"

Konforme al la konduto de pliaĝuloj mi estis ankaŭ serioza. La pastro-preposto mem diris ja al mia patro: „Rigardu, sinjoro Leśniewski, kion la lernejo faras el la bubo; tiu ĉi Kazjo estis antaŭ unu jaro petolulo kaj ventkapulo, kaj hodiaŭ li estas seriozulo, politikisto kiel Metternich."

Tiel opiniis pri mi la homoj… kaj nun okazas,

ke iu „kapridino", kiu eĉ unu klason ne vidis, kuraĝas diri al mi, ke „vi, sinjorido, ŝajnas esti kapabla fari tion··· Sinjorido? ido?··· kvazaŭ ŝi estus plenaĝa fraŭlino! Ĉar ŝi konas iun Adaĉjon, do ŝi jam levas fiere la kapon. Kiu estas Adaĉjo? li finis la trian klason, kaj mi iros en la duan. Granda diferenco! Se li estos azeno, mi lin atingos, kaj eĉ superos. Krom tio, aldone, ŝi ordonas al mi iri, por alvoki Zonjon, kvazaŭ mi estus iu lakeo. Ni vidos, ĉu mi obeos vin duafoje. Mi donas mian honorvorton, ke, se ŝi iam diros ion similan, tiam simple — mi metos la manojn en la poŝojn kaj respondos: „Nur ne permesu al vi tro multe!" Aŭ eĉ pli bone: „Mia Lonjo, mi vidas, ke vi ne lernis ĝentilecon.."Aŭ eĉ tiel: „Mia Lonjo, se vi volas, ke mi interrilatiĝu kun vi···"

Mi sentis, ke mi ne trovas bonan respondon, kaj tio incitis min ĉiam pli. Eĉ mia vizaĝesprimo videble aliiĝis, ĉar nia mastrino, la maljuna Vojcjeĥova[15] dufoje eniris en la ĉambron, rigardante min suspekteme, ĝis fine ŝi ekparolis:

„Ho, pro Dio, kial Kazjo estas tiel ĉagrena?··· Ĉu Kazjo ion difektis, aŭ eble havis kun la

15) *traduknoto: Albertedzino.

sinjoro patro ian malagrablaĵon?···

— Nenio mankas al mi.

— Mi jam vidas, ke ne estas tiel; nenion vi kaŝos antaŭ mi. Se vi ion malbonfaris, iru tuj al la patro kaj konfesu al li.

— Mi faris nenion. Mi nur iom laciĝis.

— Se vi laciĝis, ripozu kaj manĝu iom. Tuj mi donos al vi panon kun mielo.

Ŝi eliris kaj post momento ŝi revenis, portante grandegan pecon da pano, de kiu eĉ gutis la mielo.

— Sed mi ne manĝos, lasu min trankvile!···

— Kial vi ne devus manĝi? Prenu nur rapide, ĉar la mielo defluas sur la fingrojn. Sate manĝu nur, tiam vi tuj pliĝojiĝos. La homo estas ĉiam ĉagrenata, kiam li estas malsata; sed kiam li iom satiĝos, tuj en lia kapo klariĝos··· Nu, prenu do en la manon.

Mi devis preni, timante, ke ŝi ne gutigu la mielon sur miajn harojn aŭ sur mian uniformon. Senpense mi formanĝis la mielpanon kaj vere fariĝis iom malpli peze ĉe mia koro. Mi ekpensis, ke mi iel aranĝos la aferon kun Lonjo kaj ke mi bone farus, regalante ankaŭ la kompatindan Valĉjon, ĉar li kredeble manĝis mielon malofte, kaj cetere — mi jam ametis lin.

Laŭ mia postulo, Vojcjeĥova, vidante tiel bonan efikon de la kuracilo, detranĉis por mi ankoraŭ pli grandan pecon da pano, ne domaĝante la mielon. Singarde mi kunprenis la provizaĵon kaj mi eliris serĉi la knabon.

Mi trovis lin ne malproksime de la kuirejo. Kun li interparolis, ridante, du bienservistoj, kiuj alveturigis lignon el la arbaro.

— Se ankoraŭ foje vin batos la patrino — diris unu el ili — migru for en la mondon. Nu, ĉu vi iros?…

— Sed mi ne scias kiel — respondis Valĉjo.

— Metu la botojn sur la bastonon kaj iru malantaŭ la arbaron. Tie estas sufiĉe da mondo.

— Sed mi ne havas botojn.

— Tiam prenu la solan bastonon. Kun bastono, eĉ sen botoj, vi atingos…

Ekvidinte min, la knabo forkuris en la direkto al la laparo.

— Kion vi diris al li? — demandis mi la bienservistojn.

— Nenion. Ni mokas lin, kutime kiel malsaĝulon.

Sentante, ke la mielo komencas malpurigi miajn fingrojn, mi ne interparolis plu kun ili, sed mi iris al Valĉjo. Li staris inter la herbaĉaro kaj rigardis min.

— Valĉjo — mi ekvokis — jen, prenu panon kun mielo.

Li ne moviĝis.

— Nu, venu do··· — kaj mi faris kelke da paŝoj.

La knabo komencis forkuri.

— Oh! kiel malsaĝa vi estas··· Nu, prenu panon, mi metas ĝin por vi, jen, tie-ĉi··· Mi metis ĝin sur la ŝtonon kaj mi foriris. Sed nur kiam mi kaŝiĝis malantaŭ angulo de kuirejo, la knabo proksimiĝis al la ŝtono, komencis singarde pririgardi la panon kaj fine — formanĝis ĝin, kiel al mi ŝajnas, kun bona apetito.

Unu horon poste, irante direkte al la arbaro, mi ekvidis, ke la knabo kuretas malantaŭ mi, en ioma distanco. Mi haltis kaj li ankaŭ ekstaris. Kiam mi turnis min al la domo, li saltis flanken kaj kaŝiĝis en la arbustaro. Sed post momenteto li ree kuris malantaŭ mi.

La saman tagon mi duafoje donis al li panon. Li prenis ĝin el mia mano, sed ankoraŭ timeme kaj li tuj forkuris. Tamen de tiu ĉi tempo li komencis iradi malantaŭ mi, ĉiam en ioma distanco. De la mateno li ĉirkaŭiris niajn fenestrojn, kiel birdo, al kiu ŝutas grajnojn amika mano. Vespere li sidiĝis apud la kuirejo kaj rigardis nian oficejon. Nur kiam la lumo estingiĝis, li iris dormi malantaŭ la fornon sur littuko, kie ĉirpetis super lia kapo la griloj.

Kelke da tagoj post la unua renkonto kun Lonjo, cedante malgraŭvole al Zonjo, mi iris kun ŝi en la parkon.

— Sciu — certigis min la fratino — ke Lonjo tre interesiĝas pri vi. Ĉiam ŝi parolas pri vi; ŝi koleras, ke vi tiam ne revenis kaj ŝi demandas ĉiam denove, kiam vi venos.

Ne estas do mirige, ke mi cedis, tiom pli ke min mem io tiris al Lonjo. Ŝajnis al mi, ke nur tiam finiĝos miaj sopiroj, kaŭzitaj per la morto de Juzjo, kiam mi komencos promeni kun Lonjo, apogante ŝin per brako, kaj diskuti kun ŝi iel tre serioze. Sed pri kio? Tion mi ne scias ĝis hodiaŭ. Mi sentis nur, ke mi volas paroli bele, paroli multe kaj — havi, kiel mian solan aŭskultantinon, Lonjon.

Ĉe la ekpenso pri la promenoj duope, io ludis en mia brusto kiel harpoj, flagretis io kiel suno en gutoj de roso. Sed la realeco ne ĉiam estas konforma al la revoj. Sekve ankaŭ, kiam, kondukate de la fratino, mi ree renkontis

Lonjon, mi ekparolis al ŝi, intencante komenci tiujn idealajn interparolojn.

— Ĉu vi, sinjorino, kaptas volonte fiŝojn?

En tiu ĉi momento la knabinoj prenis sin je manoj, komencis flustri, kuri en la aleo kaj ridi, kiel freneze. Mi konsterniĝis, turnante en la fingroj la fiŝhokon, ĉe kies farado mi preskaŭ ricevis hufbaton de la griza ĉevalo por tio, ke mi elŝiris haregon el ĝia vosto.

Mi jam intencis foriri ofendite, kiam revenis la knabinoj kaj Zonjo diris:

— Lonjo petas vin, ke vi ambaŭ alparolu vin reciproke per la nomoj.

Mi riverencis, silentante pro embaraso, kaj ili ree ekridis kaj ekkuris direkte al la fiŝlageto.

— Ĉu vi scias, sinjorido··· — komencis Lonjo, sed tuj ŝi korektis sin.

— Vi scias, Zonjo, ke mia panjo decide ne permesas al ni naĝi per boato. Mi diris, ke via frato nin veturigos, sed la panjo···

Ŝi flustris al Zonjo ian longan frazon en la orelon; sed mi tuj divenis, kion ĝi koncernis. Verŝajne la panjo timas, ke mi ne dronigu la knabinojn, mi, kiu estas tiel bona naĝisto kaj lernanto de la dua klaso!···

Mi hontiĝis. Tion ekvidis Lonjo kaj ŝi diris

subite:

— Bonvolu, sinjorido···

Ree ŝi korektis sin.

— Petu, Zonjo, la fraton, ke li deŝiru por ni akvoliliojn. Ili estas tiel belaj, kaj mi neniam havis ilin en la manoj.

La kuraĝo inspiris min. Almenaŭ nun mi montros, kion mi scipovas.

Multo da lilioj kreskis en la lageto, sed ne ĉe la bordo, nur iom pli malproksime. Mi derompis vergon kaj suriris la balanciĝantan boaton.

La lilioj havas kvazaŭ elastajn trunketojn. Alkroĉite per la stango, ili proksimiĝis, sed baldaŭ fornaĝis. Mi derompis pli longan bastonon, kiu havis ĉe la fino specon da hoketo. Tiun ĉi fojon mi prosperis pli bone. La forte kaptita lilio alnaĝis jen··· tute proksime··· Mi etendas la maldekstran manon, sed estas ankoraŭ tro malproksime. Mi ekgenuas ĉe la pinto de la boato, mi elkliniĝas kaj jam estas kaptonta la floron, kiam subite — mi falas sur la akvon laŭ mia tuta longeco, la stango elglitas el mia mano, kaj la lilio ree fornaĝas.

La fraŭlinetoj ekkrias··· Mi vokas:

— okazis nenio, nenio! tie ĉi estas

malprofunde!..

Mi elverŝas la akvon el la ĉapo, metas ĝin sur la kapon, kaj, vadante ĝis la femuroj en la lageto, kaj ĝis la genuoj en la koto, mi deŝiras unu lilion, poste la duan, la trian, la kvaran…

— Kazjo! Pro Dio, revenu… — vokas plorante la fratino.

— Sufiĉe jam sufiĉe!.. — akompanas ŝin Lonjo.

Mi ne obeas. Mi deŝiras la kvinan, sesan kaj dekan lilion kaj poste la foliojn.

Mi eliris el la lageto, malsekigite de piedoj ĝis la supro, malpurigite per koto ĝis super la genuoj kaj sur la manikoj. Ĉe la bordo Lonjo ne volas preni la florojn, kaj, malantaŭ ili ambaŭ, kaŝiĝas, flaviĝinte pro timo — Valĉjo.

Mi vidas, ke Lonjo havas ankaŭ larmojn en la okuloj, sed subite ŝi komencas ridi:

— Rigardu, Zonjo, kiel li aspektas!..

— Dio! kion diros la paĉjo?… vokas Zonjo. — Mia Kazjo, lavu almenaŭ vian vizaĝon, ĉar vi estas tute ŝmirita.

Malgraŭvole mi tuŝas mian nazon per la mano malpurigita de koto. Lonjo, pro rido, eĉ sidiĝas sur la herbaro; Zonjo ankaŭ ridas, viŝante la okulojn, kaj eĉ Valĉjo malfermas la buŝon kaj li eligas voĉon, similan al blekado.

Nun rimarkas lin la knabinoj.

— Kio estas? — demandas Zonjo — el kie li aperis tie ĉi?

— Li venis tien ĉi kun via frato — respondas Lonjo. — Mi vidis lin, kiel li traŝoviĝis inter la arbustaro.

— Dio! kian ĉapelon li havas!.. Kion li volas de vi, Kazjo?··· — parolas la fratino.

— Li sekvas min jam de kelkaj tagoj.

— Aha! mi supozas, ke Kazjo ludis kun li, kiam li nin evitis··· — diras ironie Lonjo.

— Rigardu, Zonjo, kiel ili ambaŭ aspektas — unu estas tute malseka, kaj la alia nelavita··· Ho, mi krevos de ridado!..

Tiu ĉi komparo kun Valĉjo tute ne plaĉis al mi.

— Nu, mia Kazjo, lavu vin kaj iru hejmen alivestiĝi, kaj ni iros dume en la laŭbon — diris Zonjo, levante Lonjon, kiu, pro troa ĝojo, preskaŭ ricevis spasmojn.

Ili foriris. Restis mi, Valĉjo kaj — sur la herbaro la fasko da lilioj, kiujn neniu levis.

— Tia do estas la rekompenco por mia oferiĝo? — ekpensis mi maldolĉe, sentante koton en la buŝo. Mi deprenis la ĉapon. Terure, kio el ĝi fariĝis!.. Ĝi similas al ĉifono, kaj la ŝirmileto parte malgluiĝis. El la uniformo, veŝto kaj ĉemizo la akvo defluas torente. Ĝi plenigis la botojn, ke ĝi eĉ pepas, kiam mi moviĝas.

Mi sentas, ke el la tolo fariĝas sur mi drapo, el drapo ledo, kaj el ledo ligno. Kaj tie, en la direkto de l' laŭbo, mi aŭdas ankoraŭ la ridon de Lonjo, kiu rakontas mian aventuron al la guvernistino.

Post momento ili venos tien ĉi. Mi volas lavi min, sed, ne fininte tion, mi forkuras, ĉar ili jam venas!··· Jam en la aleo mi vidas iliajn vestojn kaj mi aŭdas la mokadon de la guvernistino. Ili baris al mi la vojon al hejmo, do mi turnas min aliflanken, al la barilo..

— Kie li estas? — demandas krieme la guvernistino..

— Jen, tie, tie!··· ili forkuras ambaŭ — respondas Lonjo. Nun mi vidas, ke Valcĵo, paŝo post paŝo, kuras malantaŭ mi. Mi atingas la barilon, li ankaŭ. Mi grimpas sur stangon, li ankaŭ. Kaj kiam ni ambaŭ, turninte la vizaĝojn unu al la alia, sidas sur la barilo, rajde kiel sur ĉevalo, en la arbetaro montriĝas Lonjo, Zonjo kaj la guvernistino.

— Ah! jen estas ankaŭ tiu ĉi amiko! — krias

Lonjo ridante.

Mi saltas malsupren de l' barilo kaj mi kuras tra la kampo, direkte al nia oficejo; kaj Valĉjo akompanas min ĉiam. Videble amuzas lin tiu ĉi pelĉaso, ĉar li malfermas la buŝon kaj eligas el si blekantan voĉon, kiu signifas kontentecon.

Mi haltis — furioza de kolero.

— Mia kara, kion vi volas de mi?… Kial vi sekvas min senhalte? Mi diris al la knabo.

Valĉjo konsterniĝis.

— Iru for de mi, iru for!… mi diris, kunpremante la pugnojn. — Vi faris al mi honton, ĉiuj ridas pri mi… Se vi ankoraŭ foje baros al mi la vojon, mi batos vin…

Dirinte tion, mi foriris, kaj la knabo restis. Kiam mi malproksimiĝis dekkelkon da paŝoj, returninte la kapon, mi ekvidis lin en la sama loko. Li rigardis min kaj ploris laŭte.

Mi enkuris en nian kuirejon, aspektante kiel vampiro; kaj kien ajn mi paŝis, tie restis strio da akvo. Ĉe mia ekvido, la timigitaj kokinoj, klukante kaj etendante la flugilojn, ĵetiĝis en la fenestrojn, la servantaj knabinoj komencis ridi, kaj Vojcieĥova kunfrapis la manojn.

— La vorto karniĝis![16][15]… Kio okazis al v

---

16) *traduknoto: Evangelia citaĵo, uzata pole por esprimi

i?··· — ekkriis la maljunulino.

— Ĉu vi ne vidas?··· Mi falis en la fiŝlageton, jen ĉio!··· Bonvolu, Vojcjeĥova, doni al mi tolan vestaĵon, botojn, ĉemizon··· Nur rapide!

— La konstanta kaŭzo de mia ĉagreno estas tiu ĉi Kazjo! — respondis Vojcjeĥova. Al la kitelo la butonoj verŝajne ne estas alkudritaj··· Katarinjo, serĉu rapide la botojn.

Ŝi komencis malbutonumi kaj depreni mian uniformon, kun helpo de alia knabino. Ili prosperis fari tion, sed, depreni la botojn, estis pli malfacile. Ili eĉ ne moviĝis. Fine ili alvokis al helpo ĉevalserviston. Mi devis kuŝiĝi sur tabullito, Vojcjeĥova kun du servistinoj tenis min je la brakoj, kaj la ĉevalservisto detiris la botojn. Mi pensis, ke li elartikigos miajn piedojn. Sed post duonhoro mi estis jam kiel pupo — viŝita, alivestita, kombita. Alvenis Zonjo kaj ŝi alkudris la butonojn al mia tola uniformo, Vojcjeĥova elpremis la akvon el la malseka vestaĵo, ŝi forportis ĝin en la mansardon, kaj promesis silenti pri la okazintaĵo.

Tamen la patro, reveninte hejmen, sciis jam pri ĉio. Li rigardis min moke, balancis la kapon kaj diris:

---

grandan miron aŭ konsterniĝon.

— Ho, vi azeno, azeno!··· Iru do nun al Lonjo, ke ŝi aĉetu por vi novajn pantalonojn.

Baldaŭ aperis la sinjoro brandfaristo. Ankaŭ tiu ĉi ĉirkaŭrigardis min, ridis, sed mi poste aŭskultis, kiel li diris al la patro en lia skribĉambro.

— Vigla bubo! La knabinojn li sekvos en la fajron··· Same kiel ni, kiam ni estis junaj, sinjoro Leśnietwski.

Mi konjektis, ke la tuta loĝantaro de l' bieno sciis pri mia afableco por Lonjo kaj mi hontiĝis.

Antaŭ la vespero venis nia bienposedantino, Lonjo kaj la guvernistino, kaj ĉiu el ili, jen mirindaĵo! havas ĉe l' robo··· akvolilion··· Mi volis kaŝi min sub la teron, forkuri, sed — oni alvokis min kaj mi stariĝis vizaĝe antaŭ la sinjorinoj.

Mi rimarkis, ke la guvernistino rigardas min tre favore. Kaj la sinjorino grafino karese glatumis mian ruĝan vizaĝon kaj donis al mi kelke da bombonoj.

— Mia knabeto, — ŝi diris — estas tre bele, ke vi estas tiel ĝentila, sed, mi petas vin — neniam veturigu la fraŭlinetojn per boato. Bone?···

Mi kisis ŝian manon, ion murmuretante.

— Sed ankaŭ mem ne naĝu. Vi promesas al mi?

— Mi ne naĝos.

Poste ŝi turnis sin al la guvernistino kaj parolis kun ŝi ion france. Mi aŭdis kelkfoje la ripetitan vorton: heroo. Malfeliĉe, aŭdis ĝin ankaŭ mia patro kaj li ekparolis:

— Ho, vi estas prava, sinjorino grafino. Herodo, vera Herodo!..

La sinjorinoj ekridetis, kaj post ilia foriro Zonjo penis klarigi al la patro, ke heroo estas skribata héros, kaj france ĝi ne signifas Herodon, sed heroon.

— Heroo? — ripetis la patro. — Li estas tia heroo, ke li malsekigis la uniformon kaj disŝiris la pantalonojn, kaj mi devos pagi al Ŝulim ĉirkaŭ dudek polajn florenojn. La diabloj prenu la heroecon, por kiu aliaj devas pagi.

La prozaj opinioj de mia patro ĉagrenis min multe. Tamen mi dankis al Dio, ke ili ne havis sekvojn.

De nun mi vidadis Lonjon ne nur en la parko, sed ankaŭ en la palaco. Mi tagmanĝis tie kelkfoje, kio embarasis min multe, kaj preskaŭ ĉiutage mi antaŭvespermanĝis; tiam oni donis kafon aŭ fragojn, aŭ frambojn kun sukero kaj freŝa kremo.

Ofte mi interparolis kun la pliaĝaj sinjorinoj. La grafino admiris mian multlegintecon, pri kiu mi ŝuldis dankon al la libraro de la ĝibuleto; kaj la guvernistino, fraŭlino Klementino, estis tute ravita de mi. Koncerne al la lasta simpatio mi ŝuldis dankon ne tiom al mia instruiteco, kiom al la interparoloj pri la bienskribisto, pri kiu mi sciis, kie li inspektas la laborojn kaj kion li diras pri fraŭlino Klementino. Fine, tiu ĉi klera persono konfidis al mi, ke ŝi tute ne intencas edziniĝi al la bienskribisto, sed ŝi dezirus nur levi lin — morale. Ŝi deklaris al mi, ke laŭ ŝia opinio, la rolo de virinoj en la mondo estas, levi morale la virojn, kaj ke ankaŭ mi mem, kiam mi plenkreskos, devas renkonti en mia vivo tian virinon, kiu min levos.

Tiuj ĉi prelegoj tre plaĉis al mi. Ĉiam pli fervore mi alportis al fraŭlino Klementino sciigojn pri la bienskribisto, kaj al li pri fraŭlino Klementino, por kio mi akiris la favoron de ili ambaŭ.

Kiome mi hodiaŭ rememoras, en la palaco estis speciala maniero de vivo. Al la grafino alveturis ĉiun trian aŭ kvaran tagon ŝia fianĉo, kaj fraŭlino Klementino ĉiun tagon kelkfoje vizitis tiujn angulojn de l' parko, el kiuj ŝi povis ekvidi la skribiston, kaj almenaŭ — kiel ŝi diris — aŭdi la sonon de lia voĉo, verŝajne tiam, kiam li insultis la bienservistojn. La ĉambristino, siaflanke, ploris alterne en diversaj fenestroj pro la sama skribisto, kaj la cetera servanta fraŭlinaro, imitante la estraron, dividis siajn sentojn inter la lakeo, bufeda junulo, kuiristo, kuiristhelpanto kaj la verturigisto. Eĉ la koro de la maljuna Salomeo ne estis libera. En ĝi regis la meleagroj, anseroj, anasoj, kokoj kaj kaponoj, same kiel iliaj diversplumaj kaj diversformaj kunulinoj, en kies societo la mastrino pasigis tutajn tagojn.

Kompreneble, en tiel okupata ĉirkaŭaĵo al ni infanoj la tempo pasis libere. Ni ludis de mateno ĝis vespero, kaj nur tiam ni vidis pliaĝajn personojn, kiam oni vokis nin tagmanĝi, antaŭvespermanĝi, aŭ noktripozi.

Dank' al tiu ĉi libereco, miaj rilatoj kun Lonjo aranĝis sin sufiĉe originale. Ŝi alparolis min dum kelke da tagoj „Kazjo“, poste „ci“, ŝi uzis miajn servojn, eĉ insultis min, kaj mi — ĉiam nomis ŝin sinjorino[17] aŭ fraŭlino Zofjo, ĉiam

17) *traduknoto: Ne aldonante la nomon, oni eĉ fraŭlinon

pli malofte mi parolis, sed ĉiam pli ofte mi aŭskultis. Iafoje vekiĝis en mi la fiereco de homo, kiu post unu jaro povos iri en la trian klason. Tiam mi malbenis la momenton, kiam mi unue obeis tiun ĉi Lonjon, irante laŭ ŝia ordono alvoki la fratinon. Mi diris al mi mem:

— Kion ŝi pensas? Ke mi estas ĉe ŝi en servo, kiel mia patro ĉe ŝia patrino?…

Tiamaniere mi ribeligis min mem, kaj mi decidis, ke tio devas aliiĝi. Sed ĉe la vido de Lonjo mi perdis la tutan kuraĝon, kaj, se mi eĉ prosperis reteni ian restaĵeton, tiam Lonjo eldiradis siajn ordonojn en formo de tiel malpacienca peto, tiel ŝi frapis la teron per la piedeto, ke mi devis fari ĉion. Kaj kiam, foje, kaptinte paseron, mi ne donis ĝin al ŝi tuj, ŝi ekvokis:

— Se vi ne volas doni ĝin, bone!… Mi ne bezonas vian paseron…

Ŝi estis tiel ofendita kaj tiel kolera, ke mi komencis ŝin ĵurpeti, ke ŝi prenu la paseron. Sed ŝi obstine rifuzis: ne, ne!… Apenaŭ mi elpetis de ŝi la pardonon, kompreneble, kun helpo de Zonjo, kaj, malgraŭ tio, dum kelkaj tagoj mi devis aŭskulti la plendojn:

alparolas pole per „sinjorino".

— Neniam en la vivo mi estus kapabla fari al vi tian malagrablaĵon. Nun mi scias, kiel vi estas konstanta. La unuan tagon vi saltis en la akvon, por deŝiri liliojn por mi, kaj jam hieraŭ vi eĉ ne volis permesi al mi, ludi iom kun la birdeto. Mi jam scias ĉion. Ho! neniu knabo agus, rilate al mi, tiamaniere···

Kaj kiam, post ĉiuj eblaj klarigoj, mi petis ŝin fine, ke ŝi almenaŭ ne koleru, ŝi respondis:

— Ĉu mi koleras?··· Vi scias plej bone, ke mi ne koleras je vi. Estis nur malagrable al mi. Sed kiel malagrable estis al mi, tion neniu povas imagi al si!··· Diru Zonjo al vi, kiel malagrable estis al mi.

Tiam Zonjo, kun solena mieno, klarigis al mi, ke al Lonjo estis tre, tre malagrable.

— Cetere, Lonjo mem diru al vi, kiel malagrable estis al ŝi — finis mia amata fratineto.

Sendate de unu al alia, por ricevi pli precizajn difinojn pri la grado de tiu malagrableco, mi tute perdis la penskapablon.

Mi fariĝis maŝino, kun kiu la fraŭlinetoj faris ĉion, kio nur plaĉis al ili, ĉar eĉ la plej malgranda signo de memstareco miaflanke, kaŭzis aŭ al Lonjo, aŭ al Zonjo malagrablon, kiun ambaŭ tiuj ĉi sinjorinoj sentis komune.

Se la kompatinda Juzjo leviĝus el la tombo li ne rekonus min en tiu ĉi kvieta, obeema, timema junulo, kiu eterne ion alportis, ion serĉis, ion ne komprenis kaj ĉiukelkminute aŭdis riproĉojn. Nu, se tion vidus miaj kolego j!…

Iun tagon fraŭlino Klementino estis okupita pli ol kutime. Ĉar la bienskribisto havis ian inspekton ĉe la ĉevalejoj, dekkelkon da paŝoj for de ŝia amata laŭbo. Utiligante tion, ni elŝoviĝis triope malantaŭ la parkon, al tiu arbustaro — kie kreskis la rubusberoj.

Ili estis tie amasege! Ĉiupaŝe renkontiĝas rubusarbetoj, kaj sur ĉiu el ili estas densaĵo da rubusberoj nigraj kaj grandaj kiel prunoj. Komence ni kolektis ilin komune, interŝanĝante inter ni ekkriojn de miro kaj kontenteco. Baldaŭ tamen ni silentiĝis kaj disiris, ĉiu diversflanken. Mi ne scias, kion faris la knabinoj, sed mi, enprofundiĝinte inter plej densajn arbustojn, tute forgesis pri la cetera mondo. Kiaj estis tiuj rubusoj!… Hodiaŭ ne ekzistas eĉ tiaj ananasoj.

Lacigite de starado — mi sidiĝis, lacigite de sidado, mi kuŝigis sur la arbustoj, kiel sur risorthava apogseĝo. Tie ĉi estis tiel varme, tiel mole kaj abunde, ke mi malgraŭvole ekpensis, ke ĝuste tiel devis esti en la Adama paradizo. Dio! Dio! kial mi ne estis Adamo? Ĝis hodiaŭ kreskus sur la malbenita arbo la pomoj; ĉar, por deŝiri ilin, mi eĉ ne volus levi la manon super la kapon··· Disetendiĝante, kiel serpento ĉe la varma suno, sur la fleksebla arbustoj, mi sentis nepriskribeblan feliĉecon, precipe pro tio, ke mi povis tute ne pensi. Iafoje mi renversiĝis dorsen, tenante la kapon pli malalte, ol la ceteran korpon. La movataj de vento folioj glatumis mian vizaĝon, kaj mi rigardis la grandegan ĉielon kaj kun nesondebla kontenteco mi imagis al mi, ke mi — tute ne ekzistas. Lonjo, Zonjo, la parko, la tagmanĝo, fine la lernejo kaj la sinjoro inspektoro, ŝajnis al mi songô, kiu iam estis, sed jam pasis, eble antaŭ cent jaroj, kaj eble eĉ antaŭ mil. La kompatinda Juzjo en ĉielo kredeble ĉiam spertas tiajn sentojn. Kiel li esta feliĉa!···

Fine mi eĉ perdis la deziron manĝi rubusojn. Mi sentis, kiel milde levas min la arbustoj, mi vidis ĉiun nubeton, malrapide ŝoviĝantan sur la ĉielbluo, mi aŭdis la brueton de ĉiu folieto, sed mem mi pensis nenion.

Subite, io min ekskuis. Mi salte leviĝis, ne

komprenante, kio okazas.

Unu sekundon estis mallaŭte, kiel antaŭe, sed en la sama momento mi ekaŭdis la ploron kaj krion de Lonjo:

— Zonjo!··· Fraŭlino Klementino! Helpon!

Estas io terura en la krio de infano: helpon!···

Tra mia kapo trakuris la vorto: vipero! La prunelarbusto kaptis min je la vestaĵo, ĉirkaŭvolvis miajn piedojn, pinĉis, forpuŝis, ne!.. ĝi luktis, baraktis kun mi, kiel viva monstro, kaj dume Lonjo vokis:

— helpon!··· Dio, mia Dio!··· Kaj mi komprenis nur unu aferon, klaran, kiel la suno, ke mi devas doni helpon, aŭ mem perei.

Lacigite, gratite, kaj plej multe — terurite, mi trapuŝis min fine al tiu loko, el kie mi aŭdis la ploron de Lonjo.

— Lonjo!··· Kio okazis al ci? — mi vokis al ŝi, unue laŭ la nomo.

— Vespo!··· Vespo!···

— Vespo?··· — mi ripetis, saltante al ŝi. — Ĝi mordis cin?···

— Ankoraŭ ne, sed···

— Kion do?···

— Ĝi rampas sur mi···

— Kie?···

El ŝiaj okuloj fluis larmoj. Ŝi tre hontiĝis, sed la timego superis?

— Ĝi eniris en mian ŝtrumpon··· Ho Dio··· Di o··· Zonjo!···

Mi ekgenuis apud ŝi, sed mi ankoraŭ ne kuraĝis serĉi la vespon.

— Do elprenu ĝin — mi diris.

— Sed mi timas. Ho, Dio!···

Ŝi tremis kiel en febro. Mi atingis la supron de kuraĝeco.

— Kie ĝi estas?

— Nun ĝi rampas sur miaj genuoj···

— Ĝi estas nek tie ĉi, nek tie.

— Ĝi estas jam pli alte. Ah! Zonjo··· Zonjo!···

— Sed ankaŭ tie ĉi ĝi ne estas···

Lonjo kovris la okulojn per la manoj.

— Ĝi kredeble kaŝis sin en la robeto··· — ŝi diris, plorante ankoraŭ pli kortuŝe.

— Ĝi estas!··· mi ekkriis. — Tio estas muŝo···

— Kie?··· Muŝo?··· demandis Lonjo. Efektive, muŝo! Ho, kiel granda ĝi estas··· Mi estis certa, ke tio estis vespo. Mi pensis, ke mi mortos··· Dio! kiel malsaĝa mi estas.

Ŝi viŝis la okulojn kaj tuj ŝi komencis ridi.

— Mortigi ĝin, aŭ — liberigi? — mi demandis Lonjon, montrante al ŝi la malfeliĉan insekton.

— Kiel al vi plaĉas! — respondis ŝi, jam tute trankvile.

Mi volis mortigi la muŝon, sed — mi domaĝis ĝin. Kaj, ĉar ĝiaj flugiletoj, kiel ĝi mem, estis tre ĉifitaj, — do singarde mi metis ĝin sur folion.

Dume Lonjo rigardis min atente.

— Kio okazas al vi?··· subite ŝi demandis.

— Nenio — respondis mi, penante ekridi.

Mi eksentis, ke la fortoj min subite forlasas. Mia koro batis kiel sonorilo, ekmallumiĝis en miaj okuloj, malvarma ŝvito eliĝis sur la tutan korpon kaj, genuante — mi ŝanceliĝis.

— Kio okazas al vi, Kazjo?···

— Nenio··· nur mi pensis, ke ia malfeliĉo vin trafis···

Se Lonjo ne estus min kaptinta kaj ne apogus mian kapon sur siaj genuoj, mi disbatus mian nazon je la tero.

Ia varma ondo ekbatis mian kapon, mi ekaŭdis bruon en la oreloj kaj ree la voĉon de Lonjo:

— Kazjo!··· amata Kazjo··· kio okazis al vi?··· Zonjo!··· ho Dio, li svenis.. Kion mi komencos ĉi tie, mi malfeliĉa?···

Ŝi ĉirkaŭprenis mian kapon per ambaŭ manoj

kaj komencis ĝin kisi. Sur la tuta vizago mi sentis ŝiajn larmojn. Mi kompatis ŝin tiel, ke mi kolektis la reston de miaj fortoj kaj mi penege leviĝis.

— Nenio mankas al mi!⋯ ne timu! mi ekvokis el la profundo de mia brusto. Efektive, la momenta malfortiĝo pasis tiel rapide, kiel ĝi venis. En la oreloj ĉesis la bruado, mia vidsento klariĝis, mi levis la kapon for de la genuoj de Lonjo, kaj, rigardante en ŝiajn okulojn, mi ridis.

Nun ankaŭ ŝi komencis ridi.

— Ah, vi estas senkora, malbona! — parolis ŝi — ke vi povis min tiel timigi. Kiel vi povis sveni pro tia bagatelo?⋯ Se tio estus eĉ vespo, ĝi ne formanĝus min ja⋯ Kaj kion mi povus fari ĉi tie por helpi al vi?⋯ Sen akvo, sen homoj; Zonjo ien foriris, kaj mi mem devus savi tiel grandan knabon. Hontu!

Kompreneble, ke mi hontis. Ĉu estis motivo por timigi ŝin tiel?

— Nu — kiel vi fartas? — demandis Lonjo. Eh! certe jam bone, ĉar vi ne estas jam tiel pala. Antaŭe vi estis pala kiel tolo.

— Nu — diris ŝi post momento — mi bele aspektos, kiam la panjo pri tio sciiĝos!⋯ Ah, Dio! mi eĉ timas reveni hejmen⋯

— Pri kio sciiĝos la panjo? — mi demandis.

— Pri ĉio, plej malbone, pri tiu vespo···

— Do diru tion al neniu.

— Nenio helpos, se mi ne diros··· — parolis ŝi, deturnante la kapon.

— Eble vi pensas, ke mi diros··· Respondis mi. Kiel mi amas la patron, mi al neniu diros eĉ vorteton.

— Kaj al Zonjo?··· Ŝi estas bona por sekreto.

— Nek al Zonjo. Al neniu.

— Kvankam eĉ malgraŭ tio ĉiuj sciiĝos. Vi estas tiel gratita, taŭzita··· Sed, atendu nur! — aldonis ŝi post momento kaj ŝi viŝis mian vizaĝon per tuko. — Dio! ĉu vi scias, ke mi eĉ kisis vin pro teruro, ĉar mi jam ne sciis, kion fari. Se iu tion ekscius, mi honte bruliĝus, kvankam, vere — kun la vespo estis ankaŭ ĉagreno. Ah! kiom da ĉagreno mi havas per v i···

— Sed vi ne havas motivon, timi ion — mi konsolis ŝin.

— Jes, mi ne havas. Ĉio malkaŝiĝos, ĉar vi havas tiom da folioj en la haroj. Cetere atendu, mi vin kombos. Mi timas nur, ke malantaŭ ia arbusto ne spionrigardu nin Zonjo. Ŝi estas bona por sekreto, sed ĉiuokaze···

Lonjo prenis el siaj haroj duonrondan kombilon kaj komencis min kombi.

— Vi ĉiam estas taŭzita — diris ŝi. — Vi devus frizi vin tiel, kiel ĉiuj sinjoroj. Jen, tiel: Havi la hardisigon dekstraflanke, kaj ne — maldekstre. Se vi havus nigrajn harojn, vi estus tiel bela, kiel la fianĉo de mia panjo. Sed ĉar vi estas blondulo, do mi kombos vin alimaniere. Vi aspektos nun, kiel la anĝeleto, kiu estas pentrita sub la Madonno. Ĉu vi scias kiu? Domaĝe, ke mi ne havas speguleton.

— Kazjo! Lonjo!··· — ekvokis en tiu ĉi momento Zonjo, ie el la flanko de l' parko.

Ni salteleviĝis ambaŭ, kaj Lonjo estis vere timigita.

— Ĉio malkaŝiĝos! — ŝi diris. — Oh! tiu vespo!.. Kaj estas plej malbone, ke vi svenis···

— Nenio malkaŝiĝos! Mi refutis energie.— Mi diros ja nenion.

— Nek mi. Vi eĉ ne diros, ke vi svenis?···

— Kompreneble.

Nu, nu!··· Miris Lonjo. — Ĉar mi, se mi svenus, mi ne povus rezisti···

— Kazjo! Lonjo!··· vokis mia fratino, jam en dekkelkpaŝa distanco de ni.

— Kazjo! — flustris Lonjo, metante la fingron

sur la buŝon.

— Nur ne timu.

Ekbruetis la arbustoj kaj aperis Zonjo, vestita en antaŭtukon.

— Kie vi estis, Zonjo? — demandis ni ambaŭ.

— Mi iris alporti antaŭtukojn, por mi kaj por vi, Lonjo. Jen prenu ĝin, ĉar la rubusberoj makulas.

— Ĉu ni tuj revenos hejmen?…

— Estas nenia motivo — rediris Zonjo. — Ĉe la panjo estas tiu ĉi sinjoro; kaj fraŭlino Klementino eĉ ne intencas foriri el la laŭbo. Ni povas sidi tie ĉi, eĉ ĝis la vespero. Sed mi jam komencas deŝiri rubusojn, ĉar vi manĝis pli da ili, ol mi.

Ili ambaŭ komencis deŝiri la berojn, kaj mi ankaŭ ree ricevis apetiton.

Vidante, ke mi malproksimiĝas, Lonjo ekvokis malantaŭ mi: — Kazjo! — vi scias, pri kio mi pensas.'…

Kaj ŝi minacis al mi, balancante la fingron.

En tiu ĉi momento, mi jam ne scias kioman fojon, mi juris al mi, ke mi al neniu aludos pri mia sveno, nek pri tiu muŝo. Tamen apenaŭ mi faris kelke da paŝoj, kiam mi ekaŭdis la voĉon de Lonjo:

— Se vi scius, Zonjo, kio tie ĉi okazis?.. Sed ne, mi ne povas diri al vi eĉ unu vorteton. Kvankam, se vi promesus al mi, ke vi konservos la sekreton··· Mi forkuris kiel eble plej malproksimen en la densaĵon, sentante, ke mi hontas. Nu — kvankam Zonjo···

Ĉe tiuj fatalaj rubusoj ni pasigis ankoraŭ ĉirkaŭ unu horon. Kiam ni el tie revenis domen, mi rimarkis grandan ŝanĝon de l' situacio. Zonjo rigardis min kun teruro kaj sciemo. Lonjo min tute ne rigardis, kaj mi estis tie, konfuzita, kvazaŭ mi estus plenuminta krimon.

Adiaŭante nin, Lonjo kisis kore Zonjon, kaj al mi, — ŝi ekbalancis la kapon. Mi deprenis antaŭ ŝi la ĉapon, pensante, ke mi estas granda fripono.

Post la foriro de Lonjo, Zonjo komencis fari al mi riproĉojn.

— Mi sciiĝis pri belaj aferoj! — diris ŝi serioze.

— Kion do mi faris? — demandis mi vere timigite.

— Kiel do? Unue — vi svenis (ho! Dio, kaj mi ne ĉeestis···) nu — kaj poste tiu vespo, aŭ muŝ o··· Terure··· La kompatinda Lonjo! Min mortigus la honto.

— Sed kiel mi estas kulpa pri tio? — mi kuraĝis demandi.

— Mia Kazjo — ŝi refutis — antaŭ mi vi ne bezonas senkulpiĝi, ĉar ja mi nenion riproĉas al vi. Tamen ĉiuokaze···

„Tamen ĉiuokaze”···jen respondo!··· El tiu ĉi „ĉiuokaze“, rezultis, ke en la tuta afero mi sola estas kulpa. La muŝo — nenion, Lonjo, kiu kriegis helpon, ankaŭ — nenion, nur mi por tio, ke mi kuris ŝin savi.

Vere, sed kial mi svenis?···

Mi estis nekonsolebla. La sekvantan tagon mi tute ne iris en la parkon, nur por ne montriĝi al Lonjo; la trian tagon — ŝi mem ordonis, ke mi venu. Kiam mi venis, ŝi ekbalancis al mi de malproksime la kapon kaj interparolis nur kun Zonjo, rigardante min de tempo al tempo fiere kaj malgaje, kiel krimulon.

Estis momentoj, kiam mi pensis, ke tamen okazis al mi ĉi-tie ia maljustaĵo. Baldaŭ tamen mi seniĝis de similaj suspektoj, dirante al mi, ke efektive mi faris ion teruran. Mi ne sciis tiam, ke tia metodo estas la karakteriza eco de la virina logiko.

Dume la knabinoj promenis en la ĝardeno

seriozapaŝe, eĉ ne pensante pri la saltado trans la ŝnuron, kaj nur murmuretante ion inter si. Subite, Lonjo haltis kaj diris per voĉo dolorplena:

— Zonjo, ĉu vi scias, ke mi havas tian apetiton manĝi mirtelberojn··· Mi sentas eĉ, kiel ili al mi bonodoras···

— Mi tuj ilin alportos. Mi ekparolis rapide. — Mi konas en la arbaro unu lokon, kie ili estas tre multaj.

— Vi klopodos?··· Respondis Lonjo, ĉirkaŭrigardante min melankolie.

— Kio malhelpas tion? Li iru, se li volas. Enmiksis sin Zonjo.

Mi iris des pli rapide, ĉar en la ĝardeno mi komencis senti premantan aeron pro tiom da grimacoj. Preterirante apud la kuirejo, mi ekaŭdis, ke la fraŭlinetoj ridas, kaj kiam mi malgraŭvole rigardis tra la tabulbarilo, mi ekvidis, ke ili en plej bona humoro saltas trans la ŝnuron. Ŝajne nur en mia ĉeesto ili konservis tian solenajn mienojn.

En la kuirejo estis infera bruego. La patrino de Valĉjo ploris kaj malbenis, kaj la maljuna Salomeo insultis ŝin pro tio, ke Valĉjo disrompis teleron.

— Mi donis al li, — ĝemis la vazlavistino — al tiu fripono, teleron, ke li ĝin elleku, kaj li, malhonestulo, faligis ĝin sur la plankon kaj forkuris. Ho, se mi vin hodiaŭ ne mortigos, mi havos paralizon en manoj kaj piedoj…

Kaj poste ŝi kriis:

Valĉjo!.. venu tuj, hundidaĉo, ĉar mi vin senhaŭtigos, se vi baldaŭ ne venos…

Mi eksentis kompaton al la knabo kaj mi volis repacigi iel la aferon. Sed mi ekpensis, ke mi povos fari la samon, reveninte el la arbaro, ĉar Valĉjo verŝajne ne pli frue ol nokte montriĝos en la kuirejo — kaj — mi iris plu en mia direkto.

La arbaro etendiĝis for de la bieno eble en duonhora vojdistanco, eble pli malproksime. Tie kreskis kverkoj, pinoj, avelujaro; kaj da fragoj kaj mirteloj estis tiom, kiom nur iu povis kolekti. Ĉe l' bordo la paŝtistoj iom maldensigis la berojn, sed pli profunde en la arbaro la beroj estis pli multaj, kaj ili okupis tiel grandajn tersupraĵojn, kiel la bienkorto.

Penetrinte en tiujn regionojn, mi kolektis tiom da beroj, ke mi plenigis per ili la tutan ĉapon kaj la tutan naztukon, sed mem mi manĝis malmulte, ĉar mi rapidis. Malgraŭ tio forpasis unu horo, aŭ eĉ pli, antaŭ ol, ŝarĝite per la akiraĵo, mi ekiris hejmen. Mi ne iris rekte, sed mi iom plilongigis mian vojon, ĉar logis min la promenado en arbaro.

Kiam vi iras en densaĵon, la arboj videble cedas al vi, kvazaŭ farante lokon. Sed ekprovu, irante antaŭen, returni la kapon. Ili donas al si reciproke la branĉojn, kiel manojn, trunko proksimigas al trunko; poste ili eĉ komencas kuntuŝigi, kaj vi eĉ ne rimarkas, kiam elkreskis malantaŭ vi diverskolora muro, profunda, nepenetrebla…

Nenio estas pli facila, ol devojigi tiam. Kien ajn vi moviĝas, ĉie estas egale, ĉie la arboj disŝoviĝas antaŭ vi, kaj ili kuniĝas malantaŭ vi. Vi komencas kuri, ili ankaŭ kuras, ĉiam malantaŭ vin, nur por bari al vi la reiron. Vi haltas — ili haltas ankaŭ, kaj, lacigite, ili malvarmigas sin kvazaŭ per ventumiloj. Vi movas la kapon dekstren kaj maldekstren, serĉante la vojon, kaj vi vidas, ke kelkaj arboj kaŝiĝas malantaŭ aliaj, kvazaŭ volante konvinki vin, ke ili estas malpli multaj, ol vi opinias.

Ho, la arbaro estas afero danĝera. Tie spionas ĉiu birdo, kien vi iras; ĉiu herbeto volas ĉirkaŭplekti viajn piedojn, kaj, ne povante tion fari — almenaŭ per brueto ĝi sciigas pri vi la aliajn. Ŝajne la arbaro tiel sopiras al homa vizaĝo, ke, ekvidinte ĝin foje, ĝi uzas ĉiujn ruzojn, por reteni vin por ĉiam.

La suno jam komencis subiri, kiam mi eliris sur la kampon. En kelkpaŝa distanco mi renkontis Valĉjon. Li iris rapide, direkte al la arbaro, kaj li apogis sin per alta bastono.

— Kien vi iras? Demandis mi lin.

Li ne forkuris de mi. Li haltis kaj, montrante per sia flava maneto la arbaron, li respondis mallaŭte:

— For! for!..

— Baldaŭ noktiĝos, revenu hejmen!

— Sed la patrineto volas min terure bati.

— Iru kun mi, tiam ŝi ne batos vin.

— Ho, ŝi batos,..

— Nu venu, vi vidos, ke ŝi faros al vi nenion. Mi diris, proksimiĝante al li.

La knabo iom reiris, sed li ne forkuris ŝajnis al mi, ke li hezitas.

— Nu, venu do···

— Sed mi timas···

Mi ree proksimiĝis, kaj li ree faris paŝon malantaŭen. Tiu ĉi hezitado kaj reirado de la ĉifonvestita knabo, malpaciencigis min. Tie

Lonjo atendas la berojn, kaj li marĉandas. kun mi pri la reveno?··· Mi ne havas tempon por tio.

Rapide mi ekiris al la biendomaro. Mi estis farinta eble la duonon da vojo al hejmo, kiam mi returnis la kapon kaj ekvidis Valĉjon, sur monteto apud la arbaro, Li staris, tenante sian bastonon en la mano kaj rigardis min. La vento movis lian grizan ĉemizeton, kaj ia duonŝirita ĉapelo, en la radio de la subiranta suno, brilis sur lia kapo, kiel fajra krono.

Io turnis mian atenton. Mi rememoris, kiel la bienservistoj lin instigis, ke li prenu bastonon kaj iru en la mondon. Ĉu efektive?··· Ne, li ne estas ja tiel malprudenta. Cetere mi ne havas tempon reveni al li, ĉar miaj beroj dispremiĝos, kaj tie atendas Lonjo···

Kurante mi atingis la domon kaj volis transŝuti la berojn en korbon. Sur la sojlo Zonjo salutis min — per gema ploro.

— Kio estas?···

— Malfeliĉo — murmuretis la fratino. — Ĉio malkaŝiĝis··· La patreto perdis sian oficon ĉe la sinjorino.

La beroj elŝutiĝis el mia ĉapo kaj tuko. Mi kaptis la fratinon je la mano.

— Zonjo, kion vi diras?··· Kio okazis al vi?···

— Jes. La patro jam ne havas sian oficon. Lonjo sekrete rakontis al la guvernistino pri tiu vespo, kaj la guvernistino al la sinjorino···;

Kiam la patro venis en la palacon, la sinjorino ordonis, ke li senprokraste forveturigu Vin al Siedlce. Sed la patro respondis, ke — ĉiuj ni forveturos kune···

Ŝi komencis plori terure.

En tiu ĉi momento mi ekvidis la patron en ia korto. Mi ekkuris al li renkonte kaj senspire mi falis ĉe liaj piedoj.

— Mia kor-amata patreto, kion mi faris! — mi murmuretis, ĉirkaŭprenante liajn genuojn.

La patro levis min, balancis la kapon kaj rediris mallonge:

— Malsaĝa vi estas, iru hejmen!

Kaj poste li diris, kvazaŭ al si mem:

— Tie ĉi estas alia majstro, kiu nin forpelas; ĉar li pensas, ke la maljuna plenrajtigito ne permesus al li malgajni en hazardludo la havaĵon de l' orfino. Kaj li estas prava!

Mi divenis, ke li parolas pri la fianĉo de nia sinjorino. Fariĝis pli malpeze ĉe mia koro. Mi kisis la malglatan manon de la patro kaj mi ekparolis iom pli kuraĝe.

— Ĉar jen, patreto, ni iris kolekti rubusojn. Lonjon ekmordis vespo…

— Malsaĝa vi estas, kiel vespo. Ne fratiĝu kun sinjoridinoj, tiam vi ne ĉasos vespojn kaj vi ne difektos pantalonojn en la fiŝlageto. Iru en la domon kaj ne eliru trans la sojlon, antaŭ ol ili ĉiuj forveturos.

— Ili forveturos?… — mi pene elflustris.

— Ili veturos Varsovion post kelke da tagoj, kaj ili revenos, kiam ni jam forestos.

Malgaje pasis la vespero. Por vespermanĝo estis bonegaj farunbuletoj kun lakto, sed neniu el ni manĝis ilin. Lonjo viŝis la plorruĝajn okulojn, kaj mi faris malesperajn projektojn.

Antaŭ la enlitiĝo, mi mallaŭte eniris en la ĉambreton de la fratino.

— Lonjo — mi diris al ŝi decide — mi… devos edziĝi kun Lonjo!…

Ŝi ekrigardis min timigite.

— Kiam? — ŝi demandis.

— Tute indiferente.

— Sed nun la pastro-preposto ne geedzigos vin, kaj poste ŝi estos en Varsovio, kaj, vi en Siedlce… Cetere, kion dirus la paĉjo, la sinjorino?..

— Mi vidas, ke vi ne volas helpi al mi —

respondis mi al la fratino, kaj, ne kisinte ŝin por la adiaŭa „bonan nokton," mi eliris.

De tiu ĉi tempo mi memoras jam nenion. Pasis tagoj kaj noktoj kaj mi ĉiam kuŝis en la lito, apud kiu sidis aŭ mia fratino, aŭ Vojcjeĥova, aŭ iafoje la subĥirurgo. Mi ne scias, ĉu oni parolis ĉe mi, aŭ ĉu mi nur tiel songis, ke Lonjo jam forveturis kaj ke Valĉjo ien malaperis. Foje eĉ ŝajnis al mi, ke mi vidas super mi la larmkovritan vizagon de la vazlavistino, kiu ĝemplorante, demandis:

— Sinjorido, kie vi vidis Valĉjon?…

— Mi?… Valĉjon…

Mi komprenis nenion: Sed poste mi imagis al mi, ke mi kolektas berojn en arbaro kaj ke el malantaŭ ĉiu arbo rigardas min Valĉjo. Mi vokas lin, li forkuras — mi postkuras lin, sed mi ne povas lin atingi. La prunelarbustoj kaptas min kaj forpuŝas, la rubusarbustoj ĉirkaŭplektas miajn piedojn, la arboj dancas, inter la muskokovritaj trunkoj rapide traŝoviĝas la ĉemizeto de la knabo.

Iafoje mi revis, ke mi mem estas Valĉjo, kaj alifoje, ke Valĉjo, Lonjo kaj mi, estas unu persono. Ĉe tio mi vidis ĉiam la arbaron, aŭ densan arbustaron; ĉiam iu min vokis al helpo, kaj mi ne povis moviĝi el la loko.

Terure, kiom mi suferis.

... ...

Mi komprenis nenion: Sed poste mi imagis al mi, ke mi kolektas berojn en arbaro kaj ke el malantaŭ ĉiu arbo rigardas min Valĉjo. Mi vokas lin, li forkuras — mi postkuras lin, sed mi ne povas lin atingi. La prunelarbustoj kaptas min kaj forpuŝas, la rubusarbustoj ĉirkaŭplektas miajn piedojn, la arboj dancas, inter la muskokovritaj trunkoj rapide traŝoviĝas la ĉemizeto de la knabo.

Iafoje mi revis, ke mi mem estas Valĉjo, kaj alifoje, ke Valĉjo, Lonjo kaj mi, estas unu persono. Ĉe tio mi vidis ĉiam la arbaron, aŭ densan arbustaron; ĉiam iu min vokis al helpo, kaj mi ne povis moviĝi el la loko.

Terure, kiom mi suferis.

Kiam mi leviĝis el la lito, estis jam la fino de la ferioj kaj oni devis jam veturi al la lernejo. Ankoraŭ dum kelke da tagoj mi estis en la loĝejo, kaj nur la antaŭtagon de l' forveturo, antaŭ vespero, mi pene eliris en la korton.

En la palaco la fenestroj estis kovritaj per rulkurtenoj. Do ili forveturis efektive?··· Mi iris apud la kuirejon, volante ekvidi Valĉjon. Valĉjo forestis. Mi demandis pri li iun vilaĝan knabinon.

— Ho! sinjorido — respondis ŝi — Valĉjo jam malestas…

Mi timis demandi pli. Mi iris en la parkon. Dio, kiel malgaje estas ĉi tie… Senpense mi vagis sur la malsekaj piedvojetoj, ĉar pluvis antaŭ mallonge. La herbo flaviĝis, la lageto ankoraŭ pli kovriĝis per kreskaĵoj, la boato estis plena de akvo. En la ĉefa aleo estis grandaj pluvmarĉetoj, en kiuj spegulis sin la mallumo. La tero estis nigra, la trunkoj nigraj, la branĉoj pendas malsupren, la folioj velkas. La malgajeco premis mian animon kaj el ĝia profundo, de tempo al tempo, eliĝis ia ombro. Jen la ombro de Juzjo, jen de Lonjo, jen de Valĉjo.

Subite ekblovis la vento, ekbruis la suproj de arboj, kaj, el la ŝanceliĝantaj branĉoj, komencis fali grandaj gutoj, kiel larmoj. Dio vidis, ke ploris la arboj. Mi ne scias, ĉu pro mi, ĉu pro miaj amikoj, sed tio estas certa, ke ili ploris — kune kun mi…

Estis malhele, kiam mi eliris el la parko. En la kuirejo la bienservistoj vespermanĝis. Malantaŭ la kuirejo, en la kampo, mi ekvidis virinan figuron.

Ĉe la malklara lumo, kiu defluis teren el hela strio da nubetoj, mi rekonis la vazlavistinon. Ŝi rigardis la arbaron kaj murmuris:

— Valĉjo!.. Valĉjo!.. revenu do hejmen… Ho, kiom da ĉagreno vi faris al mi, vi sentaŭgulo, sentaŭgulo…

Mi forkuris hejmen, ĉar ŝajnis al mi, ke mia koro krevos.(*)

개구쟁이 카지오

누구나 별명을 가져야만 하는 시대에, - 별명이 자신에게 온전히 맞지 않은 것이라도 - 나는 태어났다. 그래서 내 고향 사람들은 그곳 농장 안주인을 백작 부인이라는 별명으로, 나의 아버지를 백작 부인의 전권대사라는 별명으로 불렀다. 나의 경우, 내 이름- 카지오 레스니에브스키 Kazio Leśniewski -을 부르는 경우는 아주 드물었다. 그 대신, 여전히 고향에서 어린 시절을 보낼 때는 나를 개구쟁이로, 또 학교에 입학한 뒤로는 당나귀로 꽤 자주 불렀다.

귀족 계보에서 내 고향 농장 안주인 이름을 찾는 것이 헛된 일이기에, 그분 별명인 백작 부인이라는 왕관의 광채는, 내가 성스럽게 기억하는 아버지 별명인 전권대사라는 범위보다는, 더 멀리까지 확장되지는 않은 것 같다. 백작 부인 칭호는, 내가 작고하신 아버지의 당시 봉급이 매년 100즈워티[18]씩 인상될 때 그 기쁜 순간을 영예롭게 해주는 기념비 같았다. 우리 안주인은 자신에게 주어진 위엄을 조용히 받아들였다.

---

18) *역주: 즈워티(폴란드어: złoty)는 폴란드 통화로 1즈워티는 100그로시(grosz)에 해당된다. 즈워티는 폴란드어로 "금"을 뜻한다.

며칠 후 아버지는 백작 부인 앞에 나아가, 농장 관리책임자 자리에서 승진하여 전권대사로 임명되셨는데, 아버지는 임명장 대신 아주 통통한 새끼 돼지 1마리를 받았다. 아버지는 그 새끼 돼지를 팔아, 내게 처음으로 장화를 사주셨다.

우리 가족 - 당시 아버지, 나, 누나 조뇨Zonjo 셋이었고, 어머니는 안 계셨음 - 은 궁전에서 수십 걸음 떨어진 사무실이 달린 벽돌집에 살았다. 궁전에는 백작부인과 그분의 딸 로뇨Lonjo가 살았는데, 그 딸은 나와 같은 나이였다. 궁전에는, 그분들 외에도, 그 딸의 여성가정교사, 늙은 하녀 살로메오Salomeo, 또 수많은 하녀와 봉사원 아가씨들이 있었다. 대개 그 아가씨들은 온종일 바느질하였다. 그래서 나는 귀부인 마님들은 자신의 옷을 찢기 위해 존재하고, 그 아가씨들은 - 그 옷을 수선하러 존재하구나 라고 생각했다. 나는 귀부인 마님들과 가난한 아가씨들이 각기 다른 운명임을 아직 몰랐다. 아버지 말씀으론, 그렇게 모른 채 지내는 것이 나의 유일한 장점이라고 하셨다.

백작 부인은, 너무 일찍, 위로받을 수 없는 부군으로 인해 슬픔을 안고 살아야만 하던 젊은 과부였다. 내가, 전통을 아는 한, 별세하신 부군이 생전에 아무도 백작 작위를 책봉 받지도 않았고, 그 고인이 생전에 누군가를 전권대사로 임명한 일도 없었다. 대신, 우리가 사는 곳의 이웃 사람들은, 이상하게도, 만장일치로 그 고인을 미치광이라고 불렀다. 의심할 바 없이, 그는 평범한 사람이 아니었다. 그는 안장마를 지쳐 쓰러져 죽게 했다고 했고, 그분이 사냥할 때는 그 안장마 말발굽이 마을 사람들 논밭을 짓밟았다고 했고, 이웃들과는 말이나 개를 두고 결투를 벌이기도 했단다. 궁전 안에서는 그 부군은 자기 부인을 질투심으로 괴롭혔다고 했고, 자신의 긴 후추나무로 만든 파이프로 하인들을 괴롭혔다고 했단다. 그 이상한 성격의 백작이 별세하자, 그분의 안장마는 농사용 거름을 운반해야 했고, 그분이 기르던 개들은 이웃에 나눠 그곳에서 자라게 되었단다. 그분이 별세하자, 세상에는 그분의 어린 딸과 젊은 과부만 남게 되었다. 아! 잠깐. 여기, 손가락에 방패 모양의 문장(紋章)의 인장용 반지를 끼고 있는 그 부군 백작의 유화 초상화 1점이 남아 있다, 또 – 아무렇게나 사용하는 바람에 터키 칼처럼 굽은 후추나무 파이프가 남아 있다.

나는 그 궁전 내부를 거의 알지 못했다. 그 이유는, 첫째, 나는 그 궁전의 미끄러운 쪽모이 세공 마루판에 넘어지기보다 들녘에 뛰노는 것이 더 좋았고, 둘째, 내가 그 궁전을 처음 방문했을 때, 조심스럽지 못하게도, 작센 사람들도 애지중지하던 대형 꽃병을 내가 깨버리는 바람에, 그 뒤로는 나를 그 궁전 안으로 들여보내는 것을 꺼렸기 때문이다.

백작 부인의 딸과는 학교 입학하러 떠나기 전에 딱 한번 같이 놀았다. 당시 우리 둘 다 10살이 채 되기 전의 일이다. 한번은 내가 그 어린 딸에게 나무 오르는 법을 배우라고, 그 어린 딸을 격자 울타리 위에 올려다 놓았는데,

그 딸이 겁에 질려 큰소리로 비명을 지르는 바람에, 그녀의 여성 가정교사가 나더러 평생 저 로뇨를 불행에 빠뜨리고 싶냐며, 나를 파란 우산으로 때렸다.

그때부터는 나는 그와 같은 어린 소녀들을 비호감으로 대했다. 소녀 중 아무도 나와 함께 나무에 오를 줄 모르고, 또 나와 함께 작은 호수에서 물놀이, 말타기, 활쏘기, 투석기 사용법을 모르니. 전쟁놀이 때, - 그런 게 없다면 무슨 재미가 있겠는가! 그런 놀이에 참여한 거의 모든 소녀가 울먹이며, 누군가에게 달려가, 하소연해야 했다.

또 내가 농장 일꾼인 하인 소년들과 소통하는 것을 아버지가 허락하지 않으셨고, 또 내 누이가 거의 온종일 궁전에서 지내다 보니, 나는 부모가 내버린 맹금류 새끼처럼 성장하고 교육받았다. 나는 온종일 작은 호수의 물레방아 아래서 놀거나, 구멍 난 보트로 멱을 감거나, 물놀이했다. 공원에서 나는 고양이처럼 민첩하게 나뭇가지 위 다람쥐를 쫓아다녔다.

한번은 내가 탄 보트가 뒤집히는 바람에, 반나절을 욕조보다 크지 않은 떠다니는 섬에 앉아 있어야 하기도 했다. 또 한번은 굴뚝 안으로 지붕 위로 올라가 보았는데, 너무 불행하게도, 그곳에서 나를 내려오게 하려고 사람들이 사다리 2개를 하나로 묶어야 했다. 나는 온종일 숲속을 헤매기도 했다. 또 별세한 백작님이 즐겨 타고 다니시던 그 승마용 늙은 말이 자신의 좋았던 시절을 떠올리게 하려고, 거의 한 시간 동안 들녘에서 그 말로 질주하다, 마침내 -

내 의지와는 반대로 - 내 다리가 다친 때도 있었다. 내 다리는 다시 성장해갔다.

집 안에 같이 생활하는 사람이 없으니 나는 자연과 함께 살았다. 나는 공원의 모든 개미집, 들판의 모든 햄스터 굴, 정원의 모든 두더지 통로를 알고 있었다. 나는 새들이 사는 둥지들과 새끼 다람쥐들이 사는 나무 구멍이 어디에 있는지 알고 있었다. 나는 집 주변의 보리수나무들이 저마다 바람에 따라 내는 소리를 구별할 수 있고, 바람이 나무에 나부끼면서 내는 노랫소리도 알고 있었다. 때로, 나는 누구의 발소리인지 몰라도, 숲속을 걷는 영원의 발소리를 들었다. 나는 반짝이는 별들을 바라보고, 고요한 밤에 별과도 대화를 나누었다. 뽀뽀할 사람이 없어, 마당에 놀고 있는 개에 뽀뽀했다.

내 어머니는 땅에서 쉬신 지 오래다. 어머니를 누르는 석곽 아래에 벌써 틈새가 생겨, 무덤 내부에도 닿을 수 있었을 정도였다. 때로는 내가 무슨 일로 벌을 받을 때면, 나는 어머니 무덤가로 가, 어머니를 부르면서, 어머니가 대답하시는지, 안 하시는지 귀를 기울였다. 그러나 어머니는 아무 대답도 하지 않으셨다. 분명한 것은 어머니가 별세하셨다는 것이다.

당시는 내게 사람들에 대해, 또 그 사람들과의 관계에 대한 첫 아이디어가 형성된 시기이기도 했다. 예를 들어, 내 상상 속 전권대사인 아버지는 약간의 비만 체격에, 갈색을 띤 붉은 얼굴에, 처진 콧수염에, 회색 눈 위로 큰 눈

썹에, 저음의 목소리이셨다. - 적어도 고함지르는 데는, 아버지만큼 잘할 줄 아는 이가 없는 능력자이셨다. 소위 말하는 백작 부인이라는 별명을 가진 이 여성을 돌이켜 생각해보면, 그분은 아름다운 얼굴에, 슬픈 눈에, 큰 키에, 또 마룻바닥까지 끄는 하얀 드레스를 입고 공원을 조용히 걷는 여인이셨다. 그 외에 다른 방식으로는 그 백작 부인을 상상할 수 없다.

나는 백작 칭호를 받은 그분에 대한 지식이 전혀 없다. 만일 그분을 살아생전에 내가 뵈었거나, 그와 유사한 분이 계셨다 해도, 나는, 우리 백작부인과 비교하면, 더 의미 없는, 심지어 부적절한 인물로 보았을 것이다. 연미복처럼 뒤쪽으로 길고 끄는 넓은 프록코트 옷차림이 명예롭고 위엄있는 영주에 어울린다면, 짧고 좁은 옷차림, -심지어 상의와 하의로 구분되는 옷차림은 토지를 관리하는 농장 서기나, 술 만드는 남자, 심지어 권한 위임 받은 대리인에게만 어울린다는 게 내 의견이다.

그런 것이 그 백작 부인을 사랑하고 영예롭게 복종하라고 끊임없이 다그치시는 아버지 명령에 따르는 나의 정당성이었다. 게다가, 내가 그 엄중한 규칙을 따르지 않으면, 나는 아버지 집무실 안에 있는 체리 색 벽장만 바라봐야 했다. 그곳 대못에는 영수증들과 쪽지들 옆에, 사회 질서 원칙을 구체화하는데 필요한 도구인, 오각형의 규율 도구인 채찍이 걸려 있었다.

그 채찍은 나에게 일종의 백과사전이었다. 그걸 보고 있으면 장화는 제대로 신어야 하고, 보관 또한 잘 해야 한다. 송아지는 꼬리를 잡아당겨서도 안 되고, 모든 힘은 하나님에게서 나온다는 점 등등을 상기시켜 주었다.

내 아버지는 지칠 줄 모르고 열심히 일하는 사람이셨고, 흠잡을 데 없이 정직하셨고, 심지어 매우 관대한 분이셨다. 아버지는 마을 사람과 하인 누구에게도 손가락 하나 건드리지 않았지만, 고함만은 엄청 크게 내지르셨다. 하지만 아버지가 나를 조금 가혹하게 대하시는 경우는 있었다. 그럴 만한 이유가 없으면, 그런 일이 일어나지 않았다. 내가, 때로는, 미사 행사 때 만나는 우리 오르간 연주자의 파이프 담배통에 여로(藜蘆)[19]의 마른 뿌리를 약간 넣어놓는 바람에, 우리 오르간 연주자가, 그로 인해, 미사 도중에 노래도 못 부르고, 연거푸 나오는 재채기에, 자신의 연주에서 끊임없이 실수를 저질렀다. - 그래서 그 연주자는, 만일 그런 일을 벌이는 나 같은 아들이 있으면, 머리에 총을 쏴 버릴 것이라고 자주 말하곤 했다.

아버지는 백작 부인을 선한 천사라고 부르셨다. 실제로, 그 부인 농장에는 배고픈 사람도, 누더기로 옷 입은 사람도, 부당한 대우로 고통받는 사람도 없었다. 만일 누군가 자신이 부당하게 대우를 받았다고 생각하면, 누구나 그 백작 부인을 찾아가 하소연할 수 있었다. 아픈 사람이 있으

19) *역주: 백합과에 속한 여러해살이풀. 원줄기는 높이 40~60센티미터 정도 자라고 잎은 가늘고 길며, 꽃은 7~8월에 피는데 자줏빛이 도는 갈색이다. 뿌리줄기는 독이 있어 말린 것을 흑여로근(黑藜蘆根)이라 하여 농업용 살충제로 주로 사용하고 민간약으로도 가끔 쓰인다. 우리나라와 일본에도 분포한다. 학명은 Veratrum maackii var. japonicum이다.

면, 그 병자는 궁전을 찾아가, 약을 얻어먹을 수 있었다. 아이가 태어나면, 그 아이 부모가 백작 부인에게 청하여, 대모가 되어달라고 했다. 내 누이는 그 백작 부인의 딸과 함께 공부했다. 귀족 사람들을 자주 만나지 못하는 나이지만 그래도, 나는 그 백작 부인의 특별하게도 온화한 마음씨에 탄복하기도 했다.

나의 아버지는 몇 가지 종류의 무기를 소유하셨는데, 제각기 그 쓰임이 달랐다. 이중 총신의 장총은 우리 농장 안주인의 송아지들을 물어 죽이는 늑대를 잡는 데 썼다. 부싯돌로 작동하는 권총은 백작 부인의 기타 모든 재산 보호용으로 사용되고, 폴란드 군용 칼은 그 백작 부인의 명예를 지키는 데 사용되었다. 백작 부인의 재산과 명예를 지키는 일에 필시 아버지는 민간인들이 즐겨 쓰는 작대기를 썼을 것이다. 왜냐하면, 몇 달에 한 번씩 기름칠하는 모든 전투용 무기류는 지붕 아래 어느 구석에 숨겨 있어, 나조차도 쉽게 찾을 수 없기 때문이다.

그러나 나는 그런 무기들의 존재를 알기에, 그것들을 한 번 가져보려고 무진 애를 썼다. 때때로 나는 아버지께서 나더러 그 큰 권총을 쓸 기회를 주시는, 그 고귀한 임무를 내게 지우는 꿈을 꾸기도 했다. 그러면서 - 나는 몰래 나무꾼들에게 달려가, 단 총신의 장총 쏘는 법을 배웠다. 그런데 그 장총들은, 살아있는 짐승은 하나도 맞히지 못하고, 내 턱만 즉각 상처를 입혔다.

어느 날, 아버지께서 늑대 방어용 이중 총신의 장총을

비롯해 재산 보호용 권총과 백작 부인 명예를 지키기 위한 폴란드 군용 칼에 기름을 칠하시는 동안, 나는 아버지 몰래 한 줌의 화약을 훔치는 데 성공했다. 내가 아는 한, 그 화약을 어디에 쓸지 특별한 목적은 아직 정해지지 않았다.

아버지께서 들판 농장에 일 보러 마차를 몰고 나가셨을 때, 나는, 측면 구멍이 달린 튜브처럼 생긴, 개구부가 있는 장총을 몰래 찾아내, 사냥하러 나섰다. 나는 그 장총의 방아쇠 뭉치에 화약을 절반쯤 채우고 또 이름 모르는 옷에 썼던 깨진 단추 몇 개를 그 속에 집어넣고, 또 삼 부스러기로 그 나머지 공간을 꽉 채우고는, 폭발용으로 쓸, 불쏘시개용 스펀지가 달린 성냥 한 통을 집었다.

집을 나설 즈음에, 궁전 재산인 새끼 오리들을 뒤쫓고 있는 송장 까마귀[20] 몇 마리가 보였다. 바로 내 눈앞에서 그 빌어먹을 송장 까마귀 중 한 마리가 새끼 오리 한 마리를 낚아챘으나, 그 녀석이 그 새끼 오리를 쉽게 가져갈 수 없었던지, 작은 축사 위에 앉게 된 것을 보게 되었다.

그 광경을 보자, 오스트리아 빈 근처에서 싸운 선구자들의 끓던 피가 내 마음속에 솟구쳤다. 나는 작은 축사 가까이 살금살금 다가가, 불쏘시개용 스펀지에 불을 붙이고, 송장 까마귀 오른 눈을 목표로 그 장총을 겨누고, 장총에 불을 후-후- 불면서, 불을 붙였다… 그러고는 번개 치는 소리처럼 버-번-쩍- 소리가 났다. 작은 축사 꼭대기서 새

20) *역주: 송장 까마귀(학명: Corvus corone)는 까마귀과 까마귀 속에 속하는 연작류의 일종이다. 서유럽과 동아시아에 서식한다.

끼 오리 한 마리가 벌써 질식해, 땅바닥으로 굴러떨어졌다. 반면에 겁에 질린 그 송장 까마귀는 가장 키 큰 보리수나무로 달아나 버렸다. 나는 깜짝 놀랐다. 내 손에는 장총의 방아쇠 뭉치만 남아 있고, 반대편의, 작은 축사의 밀짚 지붕에는, 누가 파이프 담배를 피우듯이, 한 줄기의 작은 연기가 모락모락 스며 나오는 것을 보게 되었다.

몇 분 후, 약 50즈워티 상당의 작은 축사이자 마구간이 불길에 휩싸였다. 내게는 이를 어쩌나 하는 수치심이 함께 달렸고, 아버지께서 저 멀리서 말을 타고 내질러 오셨다. 나중에 이 모든 용감하고 정직한 사람들 앞에서, 술 제조 담당 남자가, 무슨 부동산이 "땅 한가운데까지 - 홀라당 타버렸네" 라고 말씀하셨다.

그 일로 인해 내겐 말로 표현할 수 없는 일들이 연거푸 일어났다. 먼저 나는 얼른 집으로 달려가, 훔쳤던 바로 그 장소에, - 그 장총의 찢어진 방아쇠 뭉치 귀를 - 매달아 놓았다. 그러고는 - 나는 작은 호수를 향해 달려가면서, 가까이 있는 공원 쪽으로 내빼, 나중에 그 호수에 빠져 죽을 생각을 했다. 그러다가, 1초 뒤 — 나는 내 계획을 근본적으로 변경했고, 농장 서기처럼 거짓말할 의도로, 방아쇠 뭉치 구한 일, 장총 구한 일, 또 작은 축사 불낸 일에 대해 내가 한 일이 아니라고 거짓부렁을 하려 했다. 그런데 나는 붙잡히자마자, 곧장 바로 -모든 걸 자백해야 했다.

사람들이 나를 궁전 앞으로 끌고 갔다. 테라스에서 나는 아버지를 뵙고, 치맛자락이 땅을 끄는 드레스를 입은 백작 부인을 뵙고, 또 충분히 짧은 옷을 입은 백작 부인 딸과 내 누이를 - 그 두 사람은 울고 있었다 - 보게 되었다. 나중에는 - 열쇠 담당 하녀 살로메오, 시종, 하인, 또 뷔페 담당 소년, 요리사, 보조요리사, 또 온갖 무리의 수많은 하녀, 가사담당 아가씨, 마을 소녀들이 모여들었다. 내가 반대편으로 눈을 돌려보니, 민가 가옥들 뒤편엔 - 여러 그루의 초록의 보리수나무 꼭대기가 보이고, 조금 더 멀리서 황갈색 연기 기둥이, 마치 의도적인 듯이, 굴뚝 위로 여전히 솟구쳐 오르는 것이 보였다.

그 순간, 나는 그 오르간 연주자의 말이, - 즉, 내 머리에 반드시 총을 쏴버리겠다 - 생각났다. 만일 그렇게 된다면, 그런 폭력적 죽임을 당할 날이 바로 오늘이구나 하는 결론을 내렸다. 내가 작은 축사를 불태웠고, 헛간 열쇠를 파손시켰으니. 내 누이가 울면서 있고 또 하인들이 모두 궁전 앞에 가득 모여 서 있으니.

이게 도대체 무슨 뜻이란 말인가?

나는 단지 - 나는 요리사가 자신이 쓰는 장총을 지니고 와 있는지만 궁금했다. 그의 임무 중 하나는, 불치병으로 죽어가는 가축을 쏘는 것이다. 또 산토끼를 사냥할 때도 그 총을 사용했기 때문이다.

사람들이 나를 백작 부인 앞으로 직접 끌고 갔다. 백작 부인은 자신의 슬픈 눈으로 나를 바라보셨고, 나는, (아버지 앞에서 무의식적으로 보통 하듯이) 내 등 뒤로 손을 모으고 고개를 들었다. 그 부인의 키가 컸기 때문이다.

그런 식으로, 우리 둘은 잠시 서로를 주의 깊게 관찰하고 있었다. 하인들은 모두 조용했고, 타는 냄새가 공기 중에 진동했다.

- 레스니에브스키 씨, 제가 보기엔, 이 소년은 정말 성격이 활달한 것 같네요. 백작 부인이 감미로운 목소리로 아버지께 말씀하셨다.

- 악동이지요!.. 방화범이기도 하구요!.. 제 곳간 열쇠도 망가뜨려 놓았습니다!

아버지가 다시 말한 뒤 재빨리 덧붙였다.

- 이놈아, 백작 부인 발 앞에 네 무릎을 꿇어라!

그리고 아버지는 살짝 나를 앞으로 밀었다.

- 나를 죽이려거든 죽이세요. 나는 누구의 발 앞에도 무릎 꿇지 않을 거요!

나는 이상한 인상을 준 그 부인에게 눈을 떼지 않은 채 대답했다.

- 저런!.. 맙소사!..

충격에 빠진 열쇠 담당 살로메오가 자신의 두 손을 모으고는 한탄스럽게 말했다.

- 진정해라, 얘야. 여기서는 아무도 널 해치지 않아.

백작 부인이 말했다.

- 아하! 아무도…라니요! 백작 부인께서 제 머리에 총 쏠 줄을 제가 모를 줄 아시나요?… 오르간 연주자 말로는, 이미 제게 그리할 거라 약속하셨다던데요.

나는 반복했다.

- 저런!… 맙소사…

열쇠 담당 여자가 두 번째로 소리쳤다.

- 저놈이 이 늙은이를 모욕하는구나!

아버지께서 말씀하셨다.

- 백작 부인께서 저놈을 보호하지 않으시면, 제가 이 악동 놈의 살가죽을 3번 벗기고, 거기에 더해, 이놈에게 소금을 뿌릴 것입니다.

테라스 한구석에 서 있던 요리사는 손으로 입을 가리고, 얼굴이 파랗게 질릴 때까지 웃었다. 나는 그 요리사 웃음을 보고 듣고는 참지 못하고, 그에게 혀를 내밀었다.

그러자, 하인들이 놀라 투덜거리기 시작했고, 아버지는 내 팔을 붙잡고 외치셨다.

- 그러고도. 네놈이 지금 무슨 행동을 하는 거냐?… 백작 부인 앞에서 혀까지 내밀다니?…

- 저 요리사를 보고 그에게 혀를 내밀었거든요. 저 요리사가 늙고 창백해진 말에 장총을 쏘듯, 저에게도 장총 쏠 거란 생각이 들었거든요…

백작 부인은 내가 한 말에 더욱 우울해졌다. 백작 부인은 내 이마를 덮고 있는 머리카락을 밀어내고, 내 두 눈을 가만히 깊이 바라보시고는, 아버지에게 말씀하셨다.

- 레스니에브스키 씨, 이 아이가 나중에 커서 어떤 사람이 될지, 누가 알겠어요?

- 교수형에 처할 놈입니다!

상심한 아버지가 곧 대답했다.

- 우리는 아무도 모르거든요.

백작 부인은, 내 곱슬머리를 부드럽게 쓰다듬으며 반박했다.

- 이 아이는 학교에 보내야 합니다. 여기 이대로 두면, 저 아이는 완전히 야만인이 될 겁니다.

그러고는, 백작 부인은 궁전 응접실로 돌아가면서, 낮은 목소리로 말했다.

- 레스니에브스키 씨, 이 아이를 사람으로 만들려면, 그에 맞는 교육 기관이 있습니다!.. 저 아이를 가르쳐야 합니다.

- 백작 부인 뜻대로 하겠습니다!

아버지는 자신의 주먹으로 내 목덜미를 한 차례 때리시면서 답했다.

그렇게 모였던 사람들이 테라스에서 뿔뿔이 떠났지만, 나는, 돌처럼 꼼짝도 하지 않고, 우리 농장 안주인이 사라진 문을 계속 바라보고만 있었다. 이제야 나는 후회하며, 생각하기 시작했다. 내가 왜 백작 부인 발 앞에 무릎 꿇지 않았던가? 그러고는 나는 가슴에 일종의 압박감을 느꼈다. 그 부인이 오로지 분부를 내리시기만 하면, 나는 기꺼이 저 작은 축사의 불탄 잿더미 위에 드러누울 것이며, 그 위서 천천히 구워지도록 내버려 둘 것이다.

그런데 백작 부인은 요리사더러 나를 향해 총기 사용을 명령하지도 않으셨고, 처벌도 않으셨다. 또 백작 부인 목소리에도, 정말 감미로운 만큼, 그 부인 표정에도 슬픔이 보였다.

이날부터 나는 덜 자유로워졌다. 백작 부인은 자신의 다른 남아 있는 가옥들도 화재로 잃고 싶지 않으셨다. 또 아버지로서는 불탄 축사를 제대로 보상할 처지가 못 되니 불쾌해하셨고, 그러니 나를 학교 보낼 준비를 하셔야 했다.

나를 학교로 보내 가르침을 받도록 한 동기를 제공한 이들은 오르간 연주자와 술 만드는 남자였다. 심지어 궁전 내부에서 가르치는 여성가정교사가 어떤 주제에 관해서는 내게 가르칠 수 있다고도 사람들은 말했다. 하지만, 이 여성가정교사가, 나를 처음 만났을 때, 내 주머니에 칼, 돌, 고철, 캡슐이 잔뜩 들어있음을 보고는, 기겁하고는, 두 번 다시는 나를 만나고 싶지 않다고 했다.

- 저런 도둑 같은 녀석은 가르치고 싶지 않거든.

그 여성가정교사가 내 누이에게 말했다.

그러나 당시 나는 이미 매우 정신적으로 심각했다. 그래서 시험 삼아, 단 한 번, 목매달 생각마저 했다. 하지만, 다행스럽게도, 내게 다른 관심사가 생기는 바람에 그런 나쁜 짓을 저지르지는 않았다.

마침내 그해 8월 초, 학교에 입학시키러, 나를 마차에 태웠다.

나는, 백작 부인이 써 보내주신 추천 편지 덕분에, 시험을 아주 잘 통과했다. 그러자 아버지는 나를 하숙집에 맡기셨는데, 보충 과외, 부모를 대신한 보살핌, 또 다른 모든 편의 제공을 대가로 200즈워티의 하숙비와 매년 5부셸[21]의 양식을 추가로 내기로 하셨다. 그러고 내게 교복도 사주셨다.

그날 새 교복은 내게 정말 흥미로웠다. 그 날 낮에는 그 새 옷을 입어보는 온전한 기쁨을 못 누렸다. 그래서 밤에 조용히 일어나 어둠 속에 붉은 깃이 달린 프록코트 같은 교복을 입었다. 또 나는 붉은 테두리 줄이 달린 학생용 모자도 써보았다. 처음에는 몇 분 동안 이렇게 앉아 있을 생각이었다. 그런데 그날 밤 줄곧 비가 내렸고, 출입문 쪽에서 바람도 좀 들어오니, 속옷 위에 교복 외투와 교모를 입은 채로 깜빡 졸았는데, 그만 그런 옷차림으로 아침까지 자버렸다.

내가 간밤을 그런 식으로 보냈다고 말하자, 동료 학생들은 매우 유쾌하게 들었다. 하지만, 우리 하숙집 주인은 이 하숙집에 특이한 개구쟁이 한 놈이 들어섰구나 하는 의심하게 되었다. 하숙집 주인은 재빨리 아버지께서 따로 투숙하신 여관으로 달려가, - 아버지더러 1년에 감자 5부셸을 추가로 감당하는 조건에 동의하지 않고는, 세상의 모든 보물을 내어놔도, 나를 그 하숙집에 들이고 싶지 않다고 말했다. 오랜 흥정 끝에 그 두 분은 감자 3부셸에 합의했다. 그러나 아버지께서 귀향하실 때는, 내가 전혀 그리워하지 않아도 될 만큼, 또 내게 찬사를 자주 표현해 주시던 고향집도 그리워하지 않아도 될 만큼 느끼게 하고는 나를 두

---

21) *역주: 부셸(곡식 따위의 계량 단위, 약 2말, 30리터에 해당)

고 가셨다.

나의 1학년 재학 시기는 더 특별한 순간을 제시해주지는 않았다.

오늘, 알려진 바와 같이, 객관적 의견을 형성하는 데 필요한, 역사적 거리의 관점에서 그 시절을 살펴보면, 내가 고백하건대, 일반적으로 내 삶은 그리 많이 변하지 않았다.

학교에서는 닫힌 공간인 교실에 조금 더 오래 앉아 있었다고 한다면, 고향에서는 -확 트인 공간에서 조금 더 오래 달렸다고 할 수 있다.

나는 평복을 벗고 교복을 입었다. 나의 신체와 정신 능력의 조화로운 발전을 위해 애쓰시는 선생님들은 나를 위해 채찍 대신 회초리를 사용하셨다.

그게 큰 차이점이다.

우리가 아는 학교는, 집단 성격을 가졌기에, 남학생에게 사회생활을 준비시키고, 그들이 학교에 다니지 않고 개별로 배웠다면 습득하지 못할 지식을 제공해 준다. 이 진실에 대해 나는 일주일간 다녀보니, 바깥 사회에서는 존재할 수 없는, 적어도 3인 공동작업을 요구하는 치즈 압착 기술[22]도 배우게 되었다.

지금, 내게는, 이론적 몰입에 앞서, 나를 지켜주고, 집단 행동 방향으로 나아가게 하는 효과적 재능이 있음을 알게 되었다. 나는 격구(擊毬)[23] 경기에는 1등 선수였다. 전투

22) *역주: 학생 3인이 서로 밀친 채 서 있어야 하는 체벌.
23) *역주: 구장(毬場)에서 말을 타거나 걸어 다니면서 막대기로 공을

(싸움) 수업 때는 군대 지도자였고, 모험(방랑)이라고 불리는 방과 후 소풍 조직자였다. 수업 때, 급우 60명 전원이 함께 발을 구르거나 고함을 질러 선생님께 휴식을 제안하는 학급 조직자였다. 반대로, 아시다시피, 철학적 사고의 기초를 형성하는 언어 문법과 예외, 격변화 및 동사 활용과 같은 분야에서는 나 자신이 혼자 임을 알고는, 나는 곧 내 영혼의 깊은 곳에서 일종의 공허함을 - 즉, 졸음을 - 느꼈다.

그래도 만일, 그런 게으른 재능에도 내가 여전히 유창하게 수업 내용을 낭송할 수 있었던 것은, 내가 앉은 자리에서 두세 좌석 떨어진 곳에 놓인 책을 보고 읽을 줄 알았던, 아주 좋은 내 시력 덕분이었다. 한번은, 내가 답해야 하는 것과 전혀 다른 내용을 큰 소리로 읽으면서 말하던 때도 있었다. 그 경우에는 모범적 변명을 - 즉, 질문을 잘못 들었다거나 헷갈렸다고- 늘어놓았다.

그래도 나는 촉망받는 학생이었다. 나는 나이 많으신 교사들에겐 그분들의 케케묵은 교수법에 불만을 표할 줄 알았고, 같은 또래 청소년에겐 동정심을 가졌다. 그래서 다양한 교과목에서 좋은 성적을 받았다. 나아가 그 좋은 성적을 바탕으로 물론, 현재에서 저 멀리, 저 멀리 날아가는, 꿈에 그리던 진급의 희망이 있었다.

학교 선생님들과의 관계는 다양했다.

라틴어 담당 교수님은, 내가 그분이 열심히 가르치신,

치던 무예. 또는 그런 운동.

또 다른 과목인 체육도 열심히 참여하자, 나에게 우수한 성적을 주셨다. 본당 신부님[24]은 내가 그 선생님께 난처한 질문을 자주 하자, 나에게 전혀 학점을 주지 않으셨다. 대신, 내 질문에 그분의 유일한 대답은 항상 "레스니에브스키, 저기 가서 무릎 꿇어!" 였다. 미술과 서예, 두 과목을 담당하시던 선생님은 나를 디자이너로는 보호해 주었으나, 서예가로는 나를 질책했다. 그러나 그 선생님에겐 글씨 쓰기가 가장 중요한 과목이기에, 스스로 아름다운 글씨 쓰기만 지나치게 중시해, 나에게 '양' 이나 '가' 학점을 주었다.

산수 과목은 나는 아주 잘 이해했다. 이 교수법은 관찰법, - 즉 "주의" 를 기울이지 않으면 "손찌검" 을 하던 시절의 교육 방법 - 에 의존했다. 국어(폴란드어) 교사는 나에게 나중에 훌륭한 경력을 갖출 걸 예언했다. 왜냐하면, 주요 기념행사의 날과 같은 날에는 그분의 엄격한 가르침을 찬양하는 시를 쓰기도 했기 때문이다. 그러고 다른 과목 학점은, 옆 학생이 내게 잘 알려주었거나, 내 앞 벤치에 놓인 교과서가 펴진 곳이 제대로 펴졌는지에 따라 좌우됐다.

그러나 가장 친밀한 관계를 유지하게 된 분은 감독관 선생님이셨다. 이분은 수업 중인데도 나를 교실 밖으로 불러내려고 노크하는 데 너무 익숙하셨는데, 수업 후에도 나를 찾으러 오는 데도 너무 익숙하셨다. 내가 그분 존재를 어

---

24) *역주: 종교 과목 담당 교사.

느 한 주간이라도 잊고 있다고 여긴다면, 그분은 진정 마음이 안정되지 않은가 보다.

어느 날, 그 감독관 선생님이 내가 하교하는 것을 보고, "레스니에브스키!" 라고 불러 세웠다. - 레스니에브스키!… 왜 남지 않고서?"

- 아무 잘못도 하지 않았는데요. 나는 대답했다.

- 무슨 소리가 들리는데, 오늘은 활동기록부에 네 이름이 없던데?

- 정말, 하나님 아버지를 정말 사랑하거든요!

- 그러고 수업 내용은 잘 알고 있지?…

- 오늘은 선생님들이 제게 아무것도 묻지 않으셨거든요!…

그 감독관 선생님은 생각에 잠겼다.

- 그것에 뭔가 숨겨져 있어! - 그 선생님이 속삭였다. - 들어봐, 레스니에브스키, 잠시 여기 남아.

- 금쪽같이 사랑하는 감독관 선생님, 저는 잘못한 게 없다구요!… 정말 제가 하나님을 얼마나 사랑하는지!…

- 아하!.. 그래, 너는, 당나귀처럼 맹세 하나는 잘 하거든!… 그러니, 당장 와!.. 그러고 정말 오늘 잘못한 게 없다면, 그럼, - 계산은 다음에 하구!..

일반적으로 나는 그 감독관 선생님의 공개 신임을 얻었다. 이로 인해 학교에서 어느 정도 인기가 있었다. 훨씬 더 효과적으로, 그게 다른 학생이 이 일에 경쟁자로 참여하는 것을 자극하지 않았다.

당시 1학년생 수십 명 중 1명은 이미 실제 면도칼로 콧수염을 깎고 다녔고, 3명은 온종일 의자 밑에 앉아서 카드놀이를 했으며, 나머지는 신병 훈련받는 군인처럼 건강했다. 그중에 척추장애인 유지오Juzio 라는 아이가 있었다.

그는 피그미족 같은 척추장애인이었다. 깡마른 체격, 푸른 코, 창백한 눈, 매끄러운 머리카락의 소년이었다. 너무 허약한 그는 하숙집에서 등굣길에 한두 번 쉬어야 했다. 너무 소심한 성격이라 수업 때 암송 한 번 해보라는 요청에는 먼저 두려움을 느끼고는 말문이 막혀 버린다. 그는 다른 학생 누구와도 주먹질한 적이 없다. 단지 다른 아이들에게 제발 때리지 말라고 부탁할 뿐이다. 때로 아이들이 나무젓가락 같은 것으로 그의 손을 건드리듯이, 그의 앙상한 몸을 "건반 두들기듯" 해도 - 그는 기절했지만, 곧 의식을 되찾고는, 그러고도 아무 불평도 하지 않았다.

그에게는 양친이 모두 계셨다. 하지만, 그 친구 아버지가 어머니를 집에서 내쫓고는, 아버지가 직접 그 아들을 양육하려고, 그 아들을 자신 곁에 놔두었다. 그 아버지는 항상 아들의 등교를 도왔고, 아들과 함께 산책하며, 수업을 보충해 주고 싶으셨다. 그러나 그 아버지는 '모세크리파' Mošek Lipa라는 술집에서, 이상하게도, 빨리 흘러가는 시간 때문에, 시간이 부족해, 매번 그리 하시지는 못했다.

그래서 유지오는 자신을 보살펴줄 사람이 없었다. 그래서 나는 하늘에 계신 신마저도 이 꼬맹이를 못마땅하게 보시는구나 하는 생각이 들었다.

그러나 유지오는 매일 6~10그로시[25]의 돈이 있었다. 그 돈으로 그는 쉬는 시간에 빵 2개와 소시지 1개를 사려 했다. 그러나 그는 모든 학생에게 핍박을 받기에, 조금이라도 자신을 지키는 보험 같은 걸 넣는 심정으로, 보통은 빵 5개를 사서, 가장 힘세고 괴롭히는 동료들에게 나누어 주어, 그에게 호의를 갖도록 했다.

그런 세금도 그에게 별 소용이 없었다. 은혜를 받은 5명 말고도 그런 식으로 화해하지 않는 사람이 3배나 더 많기 때문이다. 그래서 그들은 계속 그를 괴롭혔다. 누군가 그를 꼬집으면, 다른 사람이 그의 머리카락을 잡아당겼고, 또 다른 사람이 그를 찌르면, 네 번째 사람은 그의 귀를 "태엽 감듯이 때렸고" 가장 용기가 없는 아이들도 그를 적어도 척추장애인이라고 놀렸다.

유지오는 그런 동료 학생들 장난에 웃기만 했다. 하지만 때때로 그는 간청했다. 그냥 내버려 두라고!… 때로는 아무 말도 하지 않고, 얇은 손바닥에 얼굴을 묻고는 신음하듯 울었다.

그러자 동료들이 노래마저 불렀다. 저 봐! 저 녀석 혹이 정말 많이 흔들려!… 그리고 그들은 그를 더 집요하게 괴롭혔다.

처음에 나는 활발하지 않아 보이는 그 어린 척추장애인에게 거의 관심을 두지 않았다. 그런데 어느 날, 이미 콧

25) *폴란드 화폐 단위. 1그로시(grosz)는 100분의 1즈워티.

수염을 면도로 깎은 덩치 큰 동료 학생이 유지오 뒤에 앉아 그의 두 귀를 "태엽 감듯이" 때리기 시작했다. 그 척추장애인은 흐느끼며 몸을 떨었고, 그러자 학급 전체가 크게 웃었다. 그때 뭔가가 내 마음을 찌르는 것 같았다. 나는 한 손에 주머니용 칼을 집어 들고는 또 다른 한 손으로 작은 척추장애인을 괴롭힌 그 덩치 큰 소년을 잡고는 그의 손에 내 칼을 들이밀며 소리쳤다. – "유지오에게 손가락 하나로도 건드리는 놈은 누구든 나도 똑같이 해코지할 거야!…"

그 바람에 그 덩치 큰 녀석 손이 피가 났고, 그의 얼굴은 분필처럼 창백해졌고, 기절할 것 같았다. 학급 전체가 갑자기 웃음을 멈추고, 소란스러워졌다. "저 학생은 그렇게 당해도 싸다. 그 장애인은 그만 괴롭혀야지!" 그때 선생님이 들어오셨고, 내가 동료를 칼로 다치게 했다는 사실을 알고는, 그 선생님은 학교 사환을 대동하고 회초리를 들고 계시는 감독관 선생님을 모셔오라고 했다. 그러나 모두 내게 잘못이 없다고 변호하기 시작했고. 심지어 상처 입은 덩치 큰 소년도 마찬가지였다. 그래서 우리는 서로 화해의 표시로 키스했다. 먼저 내가 덩치 큰 소년에게, 그다음에 그가 유지오에게, 그다음에 유지오가 내게, 그러고는, 그런 식으로, 나는 그 사건에서 아무 상처 없이 빠져나왔다.

나는 그날 수업 내내 그 작은 척추장애인이 내 쪽으로 머리를 돌리고 있는 것을 알아차렸다. 그날 수업시간에는 그는 태엽 감기와 같은 그런 맞기를 전혀 당하지 않았다. 휴식 시간에도 아무도 그를 괴롭히지 않았고, 몇 명은 앞으로는 그를 보호하겠다고 선언했다. 그는 그들에게 감사했지만 - 그는 나에게 달려와, 나에게 버터 빵을 주고 싶다 했다. 내가 그 제안을 받아들이지 않자, 그는 조금 부끄러워하며 조용히 말했다.

- 들어봐, 레스니에브스키, 내가 비밀을 하나 말해 줄게.

- 말해! 하지만 빨리 말해…

나는 대답했다

그 척추장애인이 의아해하며 물었다.

- 넌 친구 있어?

- 내게 그런 친구 필요해?

- 원한다면 내가 친구가 될 수 있으니까.

나는 그를 자랑스럽게 바라봤다. 그는 더욱 혼란스러워하고는, 섬세하고 낮은 목소리로 다시 물었다.

- 왜 내가 네 친구 되는 거 원치 않아?

- 왜냐면, 난 너처럼 활발하지 않은 아이들과는 소통하지 않거든!

나는 대답했다.

그 척추장애인의 코가 평소보다 더 파랗게 변했다. 그는 이미 그 자리에서 떠나고 싶었지만, 다시 한번 나에게 말했다.

- 그럼 내가 네 옆에 앉아도 돼?… 들어봐, 선생님들이 주시는 어떤 과제에도 나는 주의를 기울이거든. 내가, 너

대신, 대답해 줄게… 내가 네 옆에서 조용히 알려 줄게…

이 요청은 나에게 중요해 보였다. 그 점을 생각한 후, 나는 그 척추장애인을 내 옆자리에 앉혔다. 내 짝은 빵 5개 받고, 자기 자리를 그 아이에게 양보하기로 동의했다.

이미 그날 오후부터 유지오는 내 옆자리로 옮겼다. 그가 나의 가장 진실한 도우미이자, 신임받는 이이자, 칭찬받는 사람이 되었다. 수업시간 때 그는 곧장 단어를 찾아내, 모든 번역문을 처리해주었다. 그는 과제를 위해 필요한 예문을 잘 기록했다. 그는 우리 둘이 쓸 잉크병, 펜, 연필을 가져 왔다. 그리고 그는 내 옆에서 얼마나 잘 소곤대며 알려주던지! – 학창 시절 때 나를 위해 많은 사람이 소곤대며 해답을 알려주었다. 때로는 그들이 잘못 알려주는 바람에 내가 무릎을 꿇어야 하기도 했지만, 이 분야에서 유지오와 비교할 만한 사람은 아무도 없었다. 소곤대며 알려주는 일에는 이 꼬마 척추장애인이 최고였다. 왜냐하면, 그는 이를 꽉 다물고서도 말할 줄 알기에, 그러면서도 교수님 중 누구에게도 의심받지 않을 만큼 평소 표정으로 말해주었다…

내가 체벌 방에 갇힐 때마다 그 꼬맹이는 자신의 점심으로 가져온 빵과 고기를 나에게 몰래 가져다주곤 했다. 그리고 나에게 뭔가 더 큰 불쾌한 일이 생기면, 그는 눈물 흘리며 동료들에게 나에게 가해지는 어떤 불의에도 자신이 용납하지 않을 것이라고 설득해 주었다.

– 오! 오!

그가 말했다.

— 카지오, 너는 강해. 학교 사환도 그의 어깨를 잡아, 그이를 깃털처럼 땅에 내동댕이칠 수 있거든. 두려워하지 마!

실제로 내 동료들은 두려워하지 않았지만, 불쌍한 그 사환은 우리 둘을 두려워했다.

그 척추장애인이 수업 중 나를 걱정하지 않아도 되는 때는 나를 칭찬하기도 했다.

- 맙소사… 내가 너만큼 강했다면… 맙소사!… 내가 그렇게 능력자였으면… 너는 원하기만 하면, 한 달 안에 우리 학급에서 1등은 하겠구나…

어느 날, 온전히 놀랍게도, 독일어 담당 선생님이 자신의 수업 때 나를 교단 앞으로 오라고 부르셨다. 겁에 질린 유지오가 내게 다음과 같이 속삭일 시간이 거의 없었다. - **모든 여성 명사는 4차 격변화(어미 변화)에 속한다. 예를 들어 die Frau - 부인을…**

나는 내 자리에서 일어나, 당당한 발걸음으로 교탁으로 나갔고, 대단한 자신감으로 선생님께 **"모든 여성 명사는 4격변화[26]에 속합니다. 예를 들어, die Frau - 그 부인을…"**

하지만 거기까지가 내 지식의 전부였다.

그 교수님은 내 눈을 바라보며, 고개를 저으며, 문장을 한 번 번역해 보라고 명령하셨다. 나는 해당 독일어 문장

26) *역주: 여성명사 4격(…을/를)

을 유창하게 큰소리로 한 번 읽고, 두 번째로 더욱 유창하게 읽고, 같은 구절을 세 번째로 읽자, 그 선생님은 나더러 내 자리로 돌아가라고 명령하셨다.

내 자리로 돌아오면서 내가 보니, 유지오가 교수님이 연필로 쓰는 모습을 매우 주의 깊게 보고 있고, 매우 당황한 표정을 짓고 있었다.

나는 본능적으로 그 척추장애인에게 물었다.

- 교수님이 내게 몇 점 주셨는지 봤어?

- 내가 알 수 있을까?..

유지오가 한숨을 쉬었다.

- 그런데 넌 어떻게 생각해?

- 나라면.

그 척추장애인이 말했다.

- 네게 5점(수) 주거나, 분명 4점(우)은 주겠는데, 교수님은…

- 그럼, 교수님은 나에게 몇 점 주셨어?…

내가 물었다.

- 내가 보기엔 - 1점(가)… 그런데 이 당나귀가 뭘 알겠어!..

유지오가 깊이 확신하는 목소리로 답했다.

허약한 체구에도 불구하고 그 아이는 매우 열심히 공부하고 유능했다. 나는 주로 수업시간에 장편 소설을 읽었고, 그 아이는 해당 수업을 잘 듣고는 그 수업 내용을 나에게 반복해 주었다.

가끔 나는 그에게 동물학 담당 선생님이 무슨 말씀을 하셨는지 물어보았다.

- 그건, 그 선생님은 식물 성장 과정이나 동물 성장 과정이 비슷하다고 하셨어.

그가 놀라는 듯한 표정으로 답했다.

- 그 선생님은 바보네.

내가 답했다.

- 하지만!

척추장애인은 말했다.

- 그분 말씀이 맞아. 나는 이미 그분을 조금 이해하거든.

나는 웃기 시작했고 말했다.

- 글쎄, 그렇게 네 말이 맞는다면, 버드나무와 암소가 어떻게 닮았지?

그 소년은 잠시 생각하더니, 천천히 말하기 시작했다.

- 들어봐, 소는 커가거든. 또 버드나무도 커 가거든…

- 그리고 또 뭐?

- 소는 스스로 먹고, 버드나무는 땅에서 나온 즙을 스스로 먹으니.

- 그리고 또 뭐?

- 암소는 여성이고, 또 - 저기 버드나무[27]도 여성이지.

유지오가 설명했다.

- 하지만 암소는 꼬리를 흔들어. 내가 말했다.

- 그리고 버드나무는 가지를 흔들거든.

27) *역주: 폴란드어 '버드나무'가 여성명사.

그가 다시 말했다.

그러한 일련의 논쟁은 동물과 식물 사이에 차이가 존재한다는 나의 믿음을 약하게 만들었다. 그 의견 자체가 나를 기쁘게 했고, 그때부터 저자 피에술레브스키Piesulewski의 교재에 요약된 동물학에 대한 사랑이 내 안에서 깨어났다. 그 척추장애인 주장 덕분에 나는 이 과목에서 5점(수)을 받기 시작했다.

어느 날, 유지오가 학교에 결석하였다. 다음 날 오전, 누군가가 교실에 있는 나를 부르려고 노크하고 있다는 말을 들었다. 나는, 이와 비슷한 경우에 늘 그렇듯, 안절부절못한 채 복도로 달려나갔지만, 감독관 선생님 대신 새빨간 얼굴에 보라색 코와 붉은 눈을 가진 뚱뚱한 남자 한 분이 서 계셨다.

그 낯선 사람은 다소 쉰 목소리로 말하기 시작했다.

- 네가 레스니에브스키인가?

- 네. 그렇습니다.

그는 비틀거리는 듯 반걸음을 내딛더니 이렇게 덧붙였다.

- 내 아들 유지오, 그 애 알지? 좀 만나 줘. 그 아이가 아프거든, 그저께 몸을 좀 다쳐서…

그는 다시 한번 비틀거리고는, 방황하는 눈빛으로 나를 바라보더니, 성큼성큼 큰 소리로 바닥을 걸으며 떠났다. 누군가가 내게 끓는 물을 부은 것 같은 느낌이 들었다. 오히려 내가 교통사고를 당하는 편이 나을 것 같은 생각이 들었다. 그 불쌍한 척추장애인은 그러면 안 된다는 생각이 들었다. - 그는 너무 착하고 허약했으니.

오후에 자유시간이 있었다… 그때 나는 점심 먹으러 하숙 집으로 향하는 대신, 곧장 유지오에게 달려갔다.

그는 도시 근교의 작은 방 2개가 있는 1층 건물에 아버지와 함께 살고 있었다. 내가 그 집 안으로 들어가자 그 꼬맹이가 짧은 침대에 누워 있는 것이 보였다. 그는 혼자, 완전히 혼자였다. 그는 숨을 거칠게 쉬고 있고, 난로가 가동되어 있지 않아, 추위로 몸을 떨고 있었다. 그의 동공은 너무 확장되어 거의 검정 눈을 가진 사람처럼 보였다. 작은 방에는 습기가 느껴졌고 지붕 고드름이 녹아 물방울로 떨어졌다. 나는 그의 침대 위로 몸을 기대며 물었다.

- 유지오, 이게 무슨 일이야?

그는 조금 기운을 차리고 웃는 듯 입을 열었지만, 한숨만 쉬었다. 그는 말라붙은 작은 손으로 내 손을 잡고 말하기 시작했다.

- 죽을 것만 같아… 너무 무서워… 혼자 있기가… 그래서 너를 불러 달라고 했어… 이 상황은… 오래 못 갈 거고, 내가 좀 더 유쾌해질 것…

지금과 같은 유지오 모습을 본 적이 내게 없었다. 이 장애인이 거인으로 변한 것 같았다.

그는 숨 막힐 정도로 신음하고 기침하더니, 나중에는 그 자신의 입에서 분홍색 거품이 나왔다. 그다음 그는 눈을 감고 힘들게 숨을 쉬고, 때로는 전혀 숨을 쉬지도 않는 것 같았다. 그의 뜨겁고 작은 손의 압력을 느끼지 않았다면 나는 그가 죽은 줄 알았을 것이다.

그래서 우리는 한 시간, 두 시간, 세 시간 동안 함께 있었다. - 조용히.

그동안 나는 생각하는 능력을 거의 잃을 뻔했다. 유지오는 간혹 말했고, 말할 때마다 무진 애를 썼다. 그의 말에 따르면, 뒤에서 마차가 달려와 그를 치고 갔다고 했고, 척추가 심하게 아프다고도 했다. 그러면서 지금은 덜 아프다며, 어제까지 돌봐 주던 하녀가 있었는데, 그 아버지가 그 하녀에게 그만두라고 하시고는, 오늘 다른 돌보미를 찾으러 나가셨단다…

그런 다음, 그는 내 손을 놓지 않은 채, 기도를 좀 해 달라고 요청했다. 나는 진심으로 기도했다. 내가 "아침이 붉게 빛날 때"[28]라는 기도 노래를 시작했을 때, 그는 내 말을 가로막았다.

- 또 - "우리 하루의 모든 일" [29] 기도도 해 줘… 아마 내일 나는 깨지 못할 것 같아…

날이 저물고, 구름 뒤에 달이 비치니, 회색 밤이 되었다.

---

28) *역주: <성경 시편> 143:8 (새번역) 하루를 시작하는 아침 기도: 낮의 해와 밤의 달이 교차하는 가운데 우리를 지켜주시는 하느님, 지난 밤 주님 품 안에서 편히 쉬게 하시고 건강한 몸으로 새 아침을 맞게 하시니 감사드립니다….건강을 위하여 절제 있는 생활을 하게 하시고, 어제보다 오늘이 더 나은 유익한 삶이 되도록 도와주옵소서. 오늘 하루를 주님께 온전히 맡깁니다. 예수님의 이름으로 기도합니다. 아멘

29) *역주: 성경 <요한복음> 14장 27절 저녁기도문: 평안을 너희에게 끼치노니 곧 나의 평안을 너희에게 주노라 내가 너희에게 주는 것은 세상이 주는 것과 같지 아니하니라….

집에 양초도 보이지 않았고, 게다가 그 촛불을 켤 생각도 없었다. 유지오는 점점 더 심해지고, 정신도 혼미해지더니 또 잠깐 정신이 돌아오기도 했다.

길가에서 출입문을 큰 소리로 두들길 때는 이미 늦은 시각이었다. 누군가가 마당을 가로질러, 휘파람 소리를 내며 우리 방 출입문을 열었다.

- 아빠? - 그 척추장애인이 숨을 크게 내쉬었다.

- 그래, 얘야!

쉰 목소리로 그렇게 들어온 사람이 답했다.

- 좀 어떠냐? 확실히 더 좋아졌구나!.. 그래야지!.. 늘 용감한 내 아들…

- 아빠… 어두워요… 유지오가 말했다.

- 정말 어둠이구나!… 여기 너는 누구?…

그는 나를 향해 몸을 비틀거리며 소리쳤다.

- 접니다. 유지오 친구에요….

내가 말했다.

- 아! 루카스 부인인가? 좋아!… 오늘은 자고 가. 내일은 내가 때려 줄 거야… 내가 여기 군수거든!… 럼주 자메이카!..

- 가서 주무세요, 아빠!.. 주무세요!…

유지오가 속삭였다.

- 잘 자, 잘 자, 얘야!

그 아버지는 다시 말했고, 그러고는, 침대 위로 몸을 굽히고는 내 머리에도 작별인사로 키스했다. 나는 그분 팔

아래 술병 하나가 있음을 느꼈다. 그러고는 그가 말을 이어갔다.

- 잘 자거라. 그러고 내일은 학교 가자!..걸어서 달-려-가자!.. 자메이카 럼주!..

그 아버지는 소리를 지르고는 그 방을 나가, 다른 방으로 가버렸다.

그 방에서 그 아버지는 아마 트렁크 가방에 무겁게 앉아, 벽에 자신의 머리를 때리기 시작하더니, 잠시 후, 마치 누군가 술 마시는 것처럼, 시각을 재듯이, 하나-둘-셋 하는 소리가 들렸다.

- 카지오!..

그 척추 장애인이 내게 속삭였다.

- 내가 이미… 거기 가 있으면… 가끔 나를 찾아와 줘. 학교에서 어떤 과제를 내줬는지도 내게 말해 줘…

다른 방에서 그 아버지가 소리를 내질렀다.

- 우리가 군수님 건강을 기원합시다!.. 만세!.. 내가 군수라고!.. 자메이카 럼!..

유지오는 몸을 뒤척이더니, 언제나 신경이 더욱 날카로워지고는 말했다.

- 엉치뼈, 너무 아파!.. 카지오, 내 위에 네가 앉아 있는 거 아냐? 카지오!… 아, 나를 더는 때리지 마!..

- 럼주!.. 럼주 자메이카!…

다른 방에서 사람 목소리가 들려 왔다. 다시 하나-둘 - 셋 세는 소리가 들렸고, 그 후 - 술병이 끔찍하게 깨지는 소리를 내며 방바닥에 떨어졌다.

유지오는 내 손을 자신의 입으로 가져가, 자신의 이로 내 손가락들을 물더니 - 갑자기 놓아버렸다. 그는 이젠 숨을 쉬지 않았다.

- 아버님!

나는 크게 불렀다.

- 아버님! 유지오가 죽었어요.

- 무슨 얘기 하는 거야?

다른 방에서 사람 목소리가 중얼거렸다.

나는 침대에서 벌떡 일어나, 출입구 앞까지 가, 어둠 속으로 바라보았다.

- 유지오가 죽었다구요!..

나는 벌벌 떨면서 반복했다.

그 아버지는 트렁크 위에서 시끄럽게 움직이며 소리쳤다.

- 여기서 나가, 이 바보야!.. 아버지인 내가 더 잘 알아, 아들이 죽었는지, 살았는지는!.. 군수님 만세'.. 럼주 자메이카!..

나는 몹시 겁이 나서 그 자리에서 달아나버렸다.

밤새도록 나는 잠을 이룰 수 없었고 몸을 떨었고 몇 가지 꿈의 환상이 나를 괴롭혔다. 아침에 하숙집 주인이 그런 나를 살펴보더니 열이 나고, 내가 마차 사고를 당한 유지오에게서 감염된 게 틀림없다며, 엉치뼈 열두 곳에 부황으로 시술하자고 명령했다. 이 치료법을 시행한 후, 그 하숙집 주인 말씀처럼, 나는 일주일 내내 침대에서 일어나지 못할 정도로 위기가 찾아왔다.

나는 학급 전원이 참석하고, 교사들, 본당신부님도 참석한 유지오 장례식에 가지 못했다. 사람들이 나중에 내게 전하기를, 유지오 유해가 바이올린 넣는 상자만큼 작은 검정 벨벳 관에 들어있었다고 했다.

유지오 부친은 몹시 울었고, 묘지에서 아들의 관을 들고 나가고 싶었단다. 그러나, 유지오는 매장되었다. 그의 아버지는 경찰과 장례위원에 의해 묘지에서 끌려나갔단다.

그렇게 병석에서 앓고 있다가, 일어난 내가 처음 학교로 돌아왔을 때, 누군가가 매일 나의 출석을 궁금해했다는 말을 들었다. 그리고 그날도 실제로 오전 11시에 나는 부름을 받았다.

내가 나가보니 – 출입문 뒤에 죽은 유지오의 아버지가 서 계셨다. 그는 이제 연보라색 얼굴과 잿빛의 코를 가진 모습이었다. 그분은 완전히 정신이 나가 있었고 그분의 머리와 손만 떨리고 있었다.

그분은 내 턱을 잡고 오랫동안 내 눈을 뚫어지라 살펴보더니 갑자기 말씀하셨다.

– 유지오가 수업시간에 괴롭힘을 당했을 때, 네가 그 애를 많이 변호해 줬다며?

– '이 노인네가 미쳤나?'

나는 그런 생각을 했지만 아무 대답도 하지 않았다.

그는 내 목에 손을 얹고 중얼거리며, 내 머리에 여러 번

키스했다.

- 신의 축복이 있기를… 신의 축복이 있기를!…

그러고는 그는 내 머리에서 손을 놓더니 다시 물었다.

- 그 아이 죽을 당시, 그 아이 옆을 지켰다지? 사실대로 말해 주게. 그 아이가 많이 괴로워하던가?

갑자기 그는 뒤로 물러서더니 재빨리 말했다.

- 아니면 아무 것도… 이젠 나에게 아무 말도 말게!… 아, 내가 얼마나 불행한지 아무도 모를거야!…

그리고 그의 눈에서 눈물이 흐르기 시작했다. 그는 자신의 두 손으로 자신의 머리를 잡고 나에게서 등을 돌리고는, 계단으로 달려가며 소리쳤다.

- 불행해!.. 비참해… 비참해…

그분이 너무 큰 소리를 지르자, 교수님들이 복도로 나왔다. 그들은 그를 바라보며, 고개를 저으며, 나에게 학급으로 돌아가라고 말했다.

저녁에 어떤 상인이 하숙집으로 와, 충분히 큰 트렁크 가방 1개, 문구만 적힌 작은 카드를 가져왔다. 그 카드에는 이렇게 씌여 있었다.

"불쌍한 유지오 유품".

그 트렁크 가방에는 죽은 유지오가 평소 가지고 있던 아름다운 책들이 가득 있었다. 그중에는 『세계의 책』, 칸투(Cesar Cantu)[30]의 『역사』, 『돈키호테』[31], 『드레젠

30) * 역주: 이탈리아 작가(1807-1895). 역사가, 정치가.
31) *역주: 《라만차의 돈키호테》(스페인어: El Ingenioso hidalgo don Quijote de La Mancha)는 스페인의 작가 미겔 데 세르반테스가

Drezden 미술관』 등이 들어있었다. 이 책들은 나에게 더 진지한 독서로의 열망을 일깨워주었다.

내가 처음 유지오 무덤에 갔을 때는 이미 봄이었다. 그 무덤이 너무 작지만, 그 자신처럼 그 무덤이 굽은 듯이 보였다. 누군가 그 주위에 푸른 나뭇가지를 심어 놓았다. 몇 걸음 더 나아가니, 풀 사이로 '럼주 자메이카Rum Jamaica' 라는 문구가 적힌 술병 몇 개가 나뒹굴어 있었다. 나는 한 시간 정도 그곳에 앉아 있었지만, 유지오에게 우리 수업에서 어떤 과제를 받았는지 말하지 않았다. 왜냐하면, 나는 스스로 몰랐고, 유지오도 그걸 묻지 않았기 때문이다.

일주일 후 나는 다시 묘지에 갔다. 그는 그 과제 질문을 하지 않았다. 다시 나는 유지오 무덤에 갓 꽂힌 나뭇가지를 보았고, 풀 사이로 온전히 깨진 술병 몇 개, 다소 깨진 술병 몇 개를 다시 보았다.

5월 초, 내가 다니던 학교가 속한 도시에 놀라운 소식이 퍼졌다. 오늘 아침, 유지오 무덤가에서 그의 아버지 시신이 발견되었다고 한다. 그 시신 옆에는 '럼주 자메이카' 라는 문구가 적힌, 반쯤 비어 있는 술병이 놓여 있었다고 한다.

의사 선생님들은 그 남자가 동맥류 파열로 사망했다고 말했다. 그 사건은 나에게 이상한 영향을 미쳤다. 그때부터 동료들과의 교제는 힘들고, 그들의 시끄러운 오락은 나

1605년 지은 소설로, 세계 최초의 근대 소설로 평가된다.

를 지루하게 만들었다. 그래서 나는 유지오가 내게 남긴 책을 읽거나, 몰래 근교의 관목으로 뒤덮인 구덩이로 달려가 그곳을 둘러보며 뭔가에 묵상했다. -그게 뭔지는 하나님은 아실 것이다. 나는 종종 유지오가 왜 그렇게 비참하게 죽었는지, 또 그의 아버지는 왜 아들 무덤을 안고서 죽어야 할 정도로 외로웠는지 자문했다.

가장 큰 불행은, 그때, 버림받는 것임을 느꼈고, 그 불쌍한 척추장애인이 왜 친구를 사귀려고 하였는지 이해가 되었다.

나에게도 이제 친구가 필요했다. 그런데 동료 학생 중에는 왠지 내 취향에 맞는 사람이 하나도 없었다. 나는 내 누이를 떠올렸다. 아니다!… 누이가 친구를 대신해 줄 수는 없다.

동료 학생들은 나를 미쳤다며, 야만인이 되었다고 말했고, 하숙집 주인은 내가 큰 범죄를 저지를 사람이라는 데 의심의 여지가 없다고 말했다.

감독관 선생님께서 내가 제2학년에 진급했다고 세상에 알리는 엄숙한 시간이 다가왔다.

이 사건은 나를 즐거운 놀라움으로 가득 채웠다. 갑자기, 학교에 상급반들이 있지만, 이 제2학년 학창시절만큼 완벽한 시절은 없다는 생각이 들기 시작했다. 나는 동료들에게 제3학년에서 제7학년까지의 나머지 학년은 제2학년 시절에 배운 것만 반복해 배운다며 나의 확신을 전파했다. 그리고 마음속엔, 방학이 끝난 뒤, 내가 한 학년 진급한 것이 실수라며 이를 교수님들이 알까 봐, 또 그런 나를 다시 제1학년으로 내려보낼까 봐 두려웠다.

그러나 다음 날, 나는 학년 진급이라는 사실에 행복해졌다.

새 학년이 되기 전 방학이 시작되자, 나는 마차를 타고 고향 집으로 갔다. 귀향길 여행 내내, 나는 마차 마부에게 우리 반에서 유일하게도 나만 2학년 진급하는 영예를 안았다고 설명했다. 진급할 자격이 있고, 또 다음 학년으로의 진급을 내가 정말 기분 좋다고 설명하면서. 그가 하품할 정도로, 반박할 수 없는 주장을 연신 펼쳐나갔다. 그러나 내가 막상 더는 설명할 말이 없어 침묵을 지키자, 나 자신도 의심에 가득 찬 두려움으로 사로잡혔다.

귀향길의 둘째 날.

집으로 가는 도중에, 누이가 나를 마중하러 나와, 조뇨 누이를 먼저 만났다. 나는 즉시 누이에게 내가 이제 2학년으로 진급한 사실이며, 또 내 친구 유지오가 마차에 치여 죽은 사실을 말해 주었다. 누이는 내가 보고 싶었다며, 우리 집 암탉이 10마리 병아리를 키우고 있다며, 어떤 신사가 일주일에 2번씩이나 백작 부인을 방문하러 마차 타고 온다며, 궁전의 그 여성가정교사가 그 농장 서기를 사랑하게 되었다는 등의 이야기를 하면서, 죽은 유지오 일에는 내 누이 - 즉, 조뇨는 - 전혀 관심이 없었다. 그 친구 등의 혹 때문이기도 했다. 그래도 누이는 그 친구를 불쌍히 여겼다…

그런 말을 하면서, 누이는 이제 자신이 대단한 숙녀가 된 것처럼 행동했다.

나는 정오에 아버지를 뵈었다. 아버지는 나를 매우 따뜻하게 맞아 주셨고, 방학 동안에는 나에게 말 1필과 큰 권총도 쓸 수 있게 허락하겠다고 말씀하셨다. 그리고 아버지는 이렇게 덧붙이셨다.

- 당장 궁전에 가서 백작 부인을 찾아뵙고 인사를 드려야지….

그러다가 갑자기 아버지는 가지 않아도 된다는 듯이 손을 내저었다.

- 그런데, 아버지, 그동안 무슨 일이 있었습니까?…

내가 성인이 된 것처럼 정중하게 물었고, 그렇게 말을 한 용기에 나 스스로 겁이 났다.

뜻밖에도 아버지는 내게 화를 내지 않고 약간 씁쓸한 표정으로 대답했다.

- 백작 부인은 이제 이 나이 많은 전권대사는 필요하지 않는구나. 곧 여기로 새 신사가 올 거야. 이 사람도 스스로 알게 될 거야…

아버지는 말씀을 중단하고는, 자신의 몸을 돌리며, 입속에서 중얼거렸다.

- 농장을 두고 카드 게임을 한 결과, 농장을 잃은 일이…

내가 없는 동안 이곳에 큰 변화가 있었음을 추측했다. 그래도 나는 농장 주인마님께 인사드리러 갔다. 백작 부인은 나를 호의적으로 대해 주셨고, 나는 이전에 보였던 백작 부인의 슬픈 표정의 눈길이 오늘은 전혀 달리 보임에 주목했다.

돌아오는 길에, 나는 마당에서 아버지를 다시 뵙고는, 백작 부인이, 이전과 달리, 엄청 쾌활하셨다고 말씀드렸다. 그러면서 백작 부인이, 자신이 거느리는 하녀들이 하듯이, 몸을 가벼이 돌리기도 하고, 손뼉도 소리 나게 치시더라는 말씀도 드렸다.

- 그건! 여자들이란, 모두, 결혼 직전엔, 기분이 좋거든···

아버지는 마치 혼잣말처럼 말씀하셨다.

이때 궁전 앞에 가볍고 4륜의, 덮개가 있는 마차가 도착했고, 그 마차 안에서 검은 수염과 이글거리는 눈을 가진 키 큰, 한 남자가 뛰어내렸다. 백작 부인이 현관에 이미 달려 나온 것 같다. 궁전 출입문을 통해 백작 부인이 그 남자에게 양손을 내미는 것이 내게 보였다.

내 앞에서 걷고 계시던 아버지가 살짝 웃으시며 중얼거리셨다.

- 아! 하!.. 여자들이 모두 미쳐 있네!.. 백작 부인은 저 신사를 염원하듯 그리워하고, 여성가정교사는 그 농장 서기를 그리워하고 ··· 살로메오에게는 내가 남아 있나, 아니면 본당신부님이 남아 있나··· 아! 아!···

나는 12살을 이미 채웠으니, 사랑 이야기를 수없이 들어왔다. 콧수염을 직접 깎으며 3년이나 제1학년에 머물러 있던 동료 학생은 낮에 길거리나 작은 창가에서 여러 번 본

어린 소녀에 대한 자신의 감정을 우리 급우들에게 말했다. 더욱이 나 자신도 아주 아름다운 소설 몇 권은 읽었으니, 그 소설 속 주인공들이 내 가슴에 얼마나 크고 아픈 일을 안겨주었는지 잘 기억하고 있다.

이런 이유로 아버지가 내뱉은 말씀은 나에게 불쾌한 인상을 남겼다. 나는 우리 농장 안주인과 여성가정교사에게 동정심이 갔다. 반면에, 콧수염의 그 신사와 농장 서기에게는 반감을 느꼈다. 하지만 나는 결코 그 점을 큰 소리로 말하지 않을 것이다(나는 그 점을 정확히 생각조차 않을 것이다). 그러나 우리 농장 안 주인과 그 여성가정교사가, 만일 그분들이 - 나에게 더 관심을 두고 그리워한다면, 그게 엄청 더 호감이 갈 터인데!…

그 날 이후 며칠 동안 나는 마을과 공원, 마구간을 돌아다녔다. 나는 말을 탔고, 보트도 타고 나가 물놀이도 했지만, 곧 지루해지고 있음을 깨달았다. 사실, 아버지께서, 어른과 대화하듯이, 마찬가지로 나에게도 더 자주 이야기해 주셨다. 술 만드는 남자는 자주 나를 초대해, 오래된 브랜디를 마시게 했고, 농장 서기는 나에게 자신의 우정을 강요했고, 심지어 그 여성가정교사 때문에 겪는 마음의 고통을 내게 말해 주겠다고 약속했지만 - 그것도 나를 즐겁게 해 주지는 못했다. 나는 그 술 만드는 남자가 오래 보관해 온 브랜디와, 농장 서기의 기밀 정보를 내 좋은 동료에게 넘겨 주고 싶을 뿐이다. 하지만 함께 첫 학년 수업을 마친 사람 중에, 마음속으로, 이에 상당하는 그런 동료 학생을 찾아내려고 해도, 그 누구도 지금의 나의 상황에 맞는 그런 동료 학생이 없음을 확신했다.

한번은, 내 영혼 깊은 곳에, 죽은 유지오의 슬픈 그림자가 종종 나타나, 여름 바람보다 부드러운 목소리로 내가 모르는 것들을 말해 주었다. 그러다가 마음의 감동이 나를 둘러싸고, 나는 뭔가를 그리워했는데, 그게 뭔지는 나 자신은 몰랐다…

가끔 그런 상상에 사로잡힌 채, 풀이 뒤덮인 공원 산책로를 헤매고 있을 때, 나를 찾으러 오던 누이 조뇨가 절망적으로 내 앞길을 막으며 물었다.

- 우리랑 같이 노는 게 어때?

나는 점점 더워지고 있음을 느꼈다.

- 누구랑?

- 나랑 로뇨랑 같이.

이 순간, 로뇨 이름이 내 상상 속 유지오를 꿈에 본 광경과 뒤섞인 이유와 내 얼굴이 붉어져 얼굴이 화끈거리고 이마에 식은땀을 흘렸던 이유는 영원한 미스터리로 남을 것이다.

- 뭐라고? 우리랑 놀고 싶지 않다고?

누이가 깜짝 놀라, 이렇게 덧붙였다.

- 부활절 때 여기로 3학년 학생이 한 사람 왔었는데, 그이는, 너처럼, 그렇게 뽐내지도 않았거든. 그 학생은 몇 날 며칠 우리와 함께 걸었거든.

그때 다시 나는 한 번도 본 적 없는 그 3학년 학생에게 이유 없이 미운 생각이 들었다. 마침내 나는 누이에게 불쾌한 말투로 답했다. 비록 마음속으로는 누이에게 아무 불쾌감을 느끼지 않고서 말이다.

- 난 '로뇨' 라는 소녀를 몰라.

- 왜 네가 모를 수 있어? 전에, 그 여성가정교사가 로뇨와 관련한 일로 너를 심하게 때린 거, 기억나지 않아? 그때 그… 작은… 축사를 네가 불냈을 때, 로뇨가, 사람들에게 너를 그만 야단치라고 울부짖고, 너의 일을 대변해 주던 거, 기억나지 않아?…

물론 나는 모든 걸 기억하고, 무엇보다도 로뇨도 잘 기억하고 있다. 하지만 누이의 그 명석한 기억 능력에 정말 내가 화를 내고 있음은 인정해야 한다. 같은 마을 사람들, 특히 이제 성장하는 소녀들이 그렇게 좋은 기억력을 가지고 있음은 내 교복의 중요성과는 어울리지 않는 것 같다.

이런 감정의 영향으로 나는 악당처럼 답했다.

- 에헤! 나를 좀 조용하게 내버려 둬… 누나나, 누나 친구 로뇨도.

그리고 나는 누이의 그 부적절한 기억 때문이기도 하고, 내가 그 소녀들과 놀지 않겠다는 걸 보여주고 싶은 그런 불만으로 나는 공원 안으로 들어 가버렸다. 게다가 내가 정말 뭘 원하는지는 스스로 잘 몰랐다. 하지만, 나는 여전히 화 난 채, 집에서 다시 누이를 만났을 때도 나는 누이와 말을 섞기도 싫었다.

슬픔에 잠긴 누이는 내 눈길을 피하려고 애썼지만, 나는 뭔가 내게 부족하다는 느낌으로 또, 함께 놀기 같은 문제에 내가 완전히 잘못 접근했음을 인정하는 느낌으로 누이 눈길을 찾고 있었다. 그래서, 상황을 개선해 보려고, 나는, 속상한 누이가 무언가 짜깁기 일을 하고 있을 때, 무작위로 아무 책이나 집어 들고는, 몇 분 동안 이리저리 책장을 넘겨본 뒤, 탁자 위에 그 책을 던지면서 마치 혼잣말처럼 말을 꺼냈다.

- 모든 여자는 멍청하거든!..

이 격언은 매우 현명할 것으로 보였다. 그런데 그 말을 끝내자마자 뭔가 씁쓸함이 있음을 느꼈다. 나는 누이에게 한 지난번 그 말에 잘못했다고 뉘우치고 싶고, 부끄러워졌다…. 그래서 나는, 말도 못 꺼낸 채, 누이 양 볼에 뽀뽀만 하고는, 숲을 향해 집 밖으로 나가 버렸다….

신이시여! 이날 제가 얼마나 불행한 상태였는지 아시나요… 하지만, 그 일은 내 고통의 시작에 불과했다. 나는 아무것도 숨기고 싶지 않았다. 나는 밤새도록 로뇨 꿈을 꾸었고, 내 꿈속의 환상 속에는, 이제, 그 척추장애인 친구 대신 그녀 그림자가 보였다. 로뇨 만이 내가 오랫동안 필요로 하는 친구가 될 수 있을 것만 같았다. 꿈에 나는 그녀에게, 내가 읽은 소설에 쓰인 대로, 너무나 길고 아름답게 말을 걸었다. 나는, 여느 후작이 된 것처럼 그렇게 예의 바르게 행동했다. 실제로, 나는 소녀들이 뛰노는 공원에 들어갈 수 없었다. 나는 공원 뒤쪽에서, 그 여성가정교사가 때때로 하는 조언에 따라 그 소녀들이 즐겁게 웃는 소리에만 귀 기울이고 있었다.

나는 궁전의 쓰레기장과 큰 키의 쐐기풀과 우엉이 자라던 밭을 잘 기억한다. 나는 온전히 15분씩이나 그곳에 서서, 몇 가지 불분명한 말소리와 통로에서 신발 끄는 소리를 엿들으면서, 줄넘기 놀이에서 빠르게 흔들리는 작은 드레스를 입은 로뇨 모습도 살짝 엿보았다.

잠시 후, 공원 안 모든 것이 고요해지고, 뜨거운 햇볕이 있음을 나는 느꼈다. 또 쓰레기장 위로 파리 떼가 끝없이 윙윙거리는 소리도 들었다. 그러고는 웃음과 달음질 놀이의 메아리 소리가 내 귀에 닿았다. 판자 울타리 틈새로 작은 옷들이 빠르게 지나가는 것이 보였고, 다시 한번 이 모든 것을 능가하는 나무들의 바스락거리는 소리, 새들의 지저귀는 소리, 뜨거운 열기가 있었다. 또 성가신 파리들이 내 입가로 올 뻔도 했다.

갑자기 궁전 옆에서 누군가의 음성이 들렸다.

- 로뇨!··· 로뇨!··· 방으로 이제 들어가야지요···

여성가정교사 말인 것 같다. 그 여성가정교사도 평소 우울한 걸 내가 몰랐다면, 나는 그녀를 미워했을 것이다.

판자 울타리로 걸음을 옮기면서, 나는 내가 혼자가 아니라고 확신했다. 저 언덕의, 짙은 초록의 우엉밭에 낡아 색이 바랜 밀짚모자 하나가 보였다. 그 모자 위로, - 모자 가운데 부분이 없어 - 밝은 금발 머리 다발이 보였다.

내가 그 밀짚모자가 있는 방향으로 몇 걸음 다가가니, 우엉 저위로 머리 뭉치와 모자가 들린 채, 씻지도 않은 긴 셔츠에, 끈을 목에 묶은 일곱-여덟 살로 보이는 한 소년이 그 자리에 있었다. 내가 그 아이에게 말을 걸자, 그 아이는 갑자기 그 자리서 일어나, 산토끼처럼 재빨리 들판으로 도망쳐버렸다. 대체로 내 교복의 붉은색 깃과 은도금한 단추가 마을 아이들에게 강한 인상을 주었나 보다.

나는 천천히 농장 건물 쪽으로 다가가니, 그에 따라, 그 아이가 판자 울타리 쪽으로 다가섰다. 내가 건물 뒤로 가자, 그 아이는 그 쓰레기장 위로 올라가, 내가 지난날 정원을 들여다보던 바로 그 틈새 자리로 눈을 가져다 댔다. 그가 본 게 무엇인지 매우 의심스럽다. 그러나 그는 계속해 뭔가를 보고 있었다.

다음 날, 내가 그 소녀들이 노는 모습을 보려고 어제 갔던 자리에 왔을 때, 나는 다시 우엉밭 쪽에서 색이 바랜 그 모자가 보이고, 가운데 부분이 없는 그 모자 저위로 연한 금발 뭉치가 보이고, 찢어진 모자챙이 아래 한 쌍의 눈이 나를 주시하고 있음도 알아차렸다. 햇볕이 너무 뜨거워, 나를 보던 그 소년은 서둘러 큰 우엉 잎사귀 한 개를 조용히 뜯어, 마치 우산 쓰듯이, 그 안에 자신의 몸을 숨겼다. 그러자, 나는 더는 그의 모자도, 그의 머리카락도 전혀 볼 수 없었고, 그의 가슴이 조금 열린 회색 셔츠만 볼 수 있었다.

내가 그 자리를 벗어나자, 그 소년은, 적어도 이번에는 그 공원에 벌어지는 광경을 내가 엿보지 않는구나 하고 생각하며 다시 그 쓰레기장 위로 달려가, 어제처럼, 다시 한번 그는 자신의 두 눈을 평소 자신이 살펴보던 틈새 자리에 두었다.

이 순간 나는 내 행동이 웃기는 일임을 이해하기 시작했다.

아버지나 술 만드는 남자나, 심지어 – 로뇨까지도 만일 그분들이 직접, 교복 입은 2학년 학생이 쓰레기 처리장 위, 판자 울타리 옆에 선 채, 또 이번에는 한 번도 빨지 않은 셔츠를 입은, 앞으로 목동이 될 아이가 그 자리에 서 있는 모습을 본다면, 좋은 이야깃거리가 되겠다 싶었다!

나는 부끄러웠다.

찢어진 모자를 쓴 저 소년처럼 구석에 숨지 않고, 눈에 잘 띄는 정원에 들어갈 권리는 내게 없는가?…

쓰레기장과 판자 울타리의 갈라진 틈이 나를 역겹게 했지만, 동시에 내 안에 다른 궁금함이 생겼다. – 저 아이는 누구인가?

저 또래 아이들은 이미 거위를 몰면서 목동처럼 일하는데, 저 아이는 가장 아름다운 유년기를 헛되이 보내고, 농장 마당 뒤편이나 배회하고, 낯선 일이나 염탐하고, 뭔가 물으면 제대로 된 대답하는 대신, 그 낯선 사람을 겁내며 달아나니.

– 기다려,

나는 생각하기 시작했다.

– 넌 나를 여기서 다시 볼 수 없을 거야. 하지만 대신에 네가 누구인지는 내가 알아야겠어.

나는 소설에서는 남녀 주인공 외에도 수수께끼 같은 인물들이 나오는데, 작가가 그 인물들을 유의해서 정확한 시점에 그 인물들의 음모를 알아내 점차 처리해 가는 것을 잘 알고 있다.

며칠 후, 나는 아무에게도 묻지 않고 그 수수께끼의 낯선 아이에 대한 모든 것을 알아냈다. 그는 음모를 꾸미는 아이가 아니었다. 그는 발치오 라는 아이였는데. 우리 궁전의 꽃병담당 하녀의 아들이었다. 모두 그를 알지만, 아무도 그에게 관심을 두지 않았다. 그래서 그 아이는 자유시간이 많고, 나 자신도 경험했듯이, 그 자유시간을 다른 사람들에게 전혀 즐겁지 않은 방식으로 사용했다.

발치오에게는 늘 자신의 아버지가 없었다. 그 때문에 모든 일이 다소 화를 잘 내는, 그의 어머니를 속상하게 만들었다. 궁전 하인 그룹의 비꼬는 암시에 그 꽃병담당 여인은 고함과 욕으로 응대했다. 이 응대로도 그 어머니가 충분하지 못하면, 자신의 화풀이를 발치오에게 해버렸다.

그 소년은 여전히 4개 발로 기듯이 다녔고, 목덜미에 매듭을 묶은 셔츠를 두르고 있었다(그 모습이 마치 전혀 셔츠를 입지 않은 사람처럼 보였다). 사람들은 이미 그를 주워온 아이라고 불렀다.

- 그래 네가 그 아이를 찾았다고?…

그때 그 어머니가 물었고 그녀는 더 크게 소리 질렀다.

- 하나님이여, 내가 불공평하게도 저놈 좀 벌하게 하소서!.. 저 손모가지를 분질러 놓아야겠어!… 저놈은 죽어도

싸, 못난 놈!..

그녀 말 중 그 마지막 소원은 발치오를 두고 하는 말이다. 그녀는 나중에 셔츠 매듭 아래의 발치오 몸에 발길질했다. 그 아이가 아직 어리석었을 때는 그런 발길질에 훌쩍훌쩍 울기만 했다. 그러나 그 아이가 더 현명해지고, 그 현명함은 아주 빠르게 이어지자, 그때 그 아이는 집토끼처럼 조용해지고는 돼지들이 음식을 받아먹는 큰 죽통 뒤의, 판자 침대 밑으로 보통 기어들어 가 숨어버린다. 분명히 그는, 한때 자신에게 닥칠지도 모를 뜨거운 물세례를 원치 않았다.

발치오는 사람들이 점심이나 저녁 식사하러 모일 때까지 몇 시간이나 판자 침대 아래 숨어서 나오지 않았다. 한번은, 판자 침대 아래로 보인 그 아이 머리와, 고통의 눈물로 빛나는 그 아이의 생기있는 눈을 보면서, 또 -그 호밀빵 같은 눈을 보면서- 농장 하인들이 그 아이 어머니에게 물었다.

- 그러고 저 아이, 감자밭에서 주워왔다는 저 아이에게는 먹을 걸 주지 않나요?…

- 저놈이나 당신이나 함께 그 땅에 고꾸라져 죽어 버려!…

짜증을 내면서 그 어머니는 대답했다. 이전에는 그 어머니가 발치오를 키울 의도였지만, 요즘은 그 어머니가 그 아이에게 음식마저 제대로 주지 않았다.

- 저 아이가, 비록 주워와 키우는 꼬맹이라 하더라도,

배곯아 죽게 내버려 둬서는 안 되지요.

그렇게 다른 여인들이 그녀를 설득했다.

- 그러니까 저 아이가 죽게 되는 거야. 자네들이 그리 비웃으니!…

그러고 그녀는 그 아이가 숨어 있는 판자 침대 앞에, 그 침대를 등지고 양동이 위에 앉자, 그녀 발뒤꿈치가 그만 발치오 입을 때리는 꼴이 되었다.

그때, 농장 일꾼들이 그 어머니 화를 돋우려고, 그 아이를 그 숨은 곳에서 나오게 해 음식을 주었다.

- 저기, 발치오야.

그들 중 한 명이 말했다.

- 저 개 꽁지에 뽀뽀 한번 하면, 네게 호밀빵 하나 줄게."

그 아이는 항상 그 명령을 정확히 따랐고, 그래서 받은 큰 호밀빵 여럿을 씹지도 않고 삼켰다.

- 그럼, 이번에는 네 엄마 머리를 한 번 쥐어박아 봐, 그러면 네게 우유도 줄게…

- 이런 못난 놈, 네 손모가지를 비틀어 놓을 테다!

그 꽃병담당 여인이 소리쳤고, 그 아이는 - 자신의 세숫대야 뒤로 내뺐다.

한번은 그 아이가 숨을 헐떡이며 겁에 질린 채, 농장 마당으로 달려와, 궁전 맞은편의, 짙은 덤불 속에 숨었다. 그 아이가 울음을 그치자, 그의 두 눈에 현관에 아름다운 작은 탁자가 있고, 그 옆에 의자 2개가 놓여 있고. 또 그 의자들에 로뇨와 내 누이가 앉아 있고, 또 그 둘의 턱에 하녀가 매어둔 턱받이 수건이 있고, 또, 살로메오가 수프를 붓고 있음이 보였다. 그때 백작 부인이 이렇게 말하는 것도 보았다.

- 좀 불어 가면서 천천히 먹어, 얘들아. 햇볕에 너무 얼굴을 태우지도 말고, 옷을 더럽히지도 말고… 어째, 엄청 달지 않아?…

농장 일꾼들이 모두 일하러 나가고 주방에 다른 사람이 없을 때, 꽃병담당 여인이 마당으로 나가 누구를 불렀다.

- 발치오!… 발치오!… 이리와…

그런 부름에 그 아이는 이제 주방으로 들어갈 수 있음을 알고, 주방으로 달려갔다. 그곳에서 그는 보통 어머니에게 빵 한 조각, 나무 숟가락, 또 보르시치 수프[32]가 담긴 6인용 대형 접시를 받았다. 그가 땅바닥에 앉자, 그 어머니는 그 아이 다리 사이에 그 대형 접시를 놓고, 그의 어깨를 두른 셔츠를 바로 입혀 주며 말했다.

- 그러고 앞으로 만일 네가 다시 한번 개 꽁지에 뽀뽀 같은 걸 하면, 내가 네 모든 뼈를 추려놓을 거야. 이 말은 꼭 기억해라!

그런 다음 그녀는 주방의 꽃병들을 씻으러 갔다.

이윽고 땅속에서 나온 듯, 어디선가 마당 개 한 마리가 따라오더니, 그 아이 맞은편에 앉았다. 처음에는, 그 개가 잇소리를 딱-딱 내며, 파리를 쫓더니, 하품하며 자신의 입

32) *역주: 빨간 순무를 넣은 러시아식 수프

주위를 혀로 핥았다. 그런 다음 그 개가 보르시치 수프를 한 번, 두 번 냄새 맡더니 조심스럽게 자신의 혀를 보르시치 수프 접시 안으로 깊숙이 들이밀어 넣었다. 발치오가 나무 숟가락으로 그 녀석 머리를 쳤다. 그러자 그 개는 다시 물러서고, 다시 하품하고는, 다시 물에 첨-벙-하듯이 그 음식 몇 모금을 입으로 대고는, 이번에는 좀 더 용감하게 먹었다. 나중에는 그 아이는 이제 나무 숟가락으로 그 녀석 머리를, 자신이 원하는 만큼 때렸다. 왜냐하면, 그 개가 입맛을 제대로 느끼고는, 온 세상 보물은 모두 집어삼킬 생각으로 저 접시에 입을 처박은 채 그 입을 떼지 않으려 했기 때문이다. 하지만 발치오 또한, 먼저 먹어치우는 자가 임자겠다 하는 생각이 들자, 접시의 한쪽 끝에서 숨을 헐떡거릴 정도로 서둘러 먹었고, 그 개 또한 그 접시의 다른 끝에서 게걸스럽게 집어삼키기 시작했다.

만일 그 어머니가 기분 좋은 상태이고, 그때 발치오가 그 어머니 주변에 있으면, 그 아이는 궁전 식탁에 놓인 군것질거리도 먹을 수 있었다.

- 자, 편하게 씩씩하게 먹어.

그 꽃병담당 여인은 그에게 쿠키 조각, 소스가 묻은 접시, 생선 머리, 아직 입이 가지 않은 닭 날개나, 바닥에 약간의 커피나 아직 녹지 않은 설탕 부스러기가 남아 있는 글라스를 건네면서 말했다. 그 아이가 글라스에 남은 모든 것을 빨아들이거나, 접시를 깨끗하게 핥았을 때, 그의 어머니는 그에게 물었다.

- 그래… 맛 있지?

그러자, 발치오는, 농장 일꾼들의 점심 후에 하는 행동처럼, 엉덩이에 손을 얹고, 깊게 숨을 한번 내쉬며, 자신의 낡은 모자를 옆으로 밀치며 답했다.

- 사람이, 하나님 덕분에, 조금 먹었네요!… 이제 일하러 가야지요…

그 아이는 주방을 나와, 그날 반나절엔 더는 모습을 보이지 않았다.

그가 하는 놀이란 그보다 더 나이 많은 사람들이 하는 행동을 흉내 내는 것이다. 사람들이 밭에서 쟁기질하면, 그는 구유 뒤에서 자신이 쓰는 작은 채찍을 꺼내 들고, 다른 한 손에는 처음으로 발견한 판자 울타리에서 판자 1개를 빼내 들거나, 뒤집힌 나무 밑둥치를 손에 들고서 - 몇 시간 동안 쟁기질하는 흉내를 내며, 물론 같은 곳에서 몸을 흔들며, 외쳤댔다.

- 어이, 소야, 이랴! 이랴!

사람들이 물고기 잡으러 가면, 그는 쓰레기 중에서 낡은 체 하나를 찾아내, 지칠 줄 모르는 인내심으로 그 체를 물에 담갔다가 다시 들어 올리기를 반복했다. 아니면, 그는 긴 막대에 걸터앉아, 우물가에서 말에 물 먹이는 놀이도 했다. 때때로 그는 양들을 모아두는 우리 근처에서 낡은 인피 섬유의 (베로 만든) 신발 한 켤레를 하나 찾아내, 이것들을 물에 던지고, 그런 식으로 보트 타는 물놀이를 즐겼다. -물론 그의 상상 속에서 말이다.

한마디로 그는 아주 즐거이 시간을 보냈어도 전혀 웃지는 않았다. 그의 어린 얼굴에는 지울 수 없는 진지한 표정이 굳어 있고, 그 모습이 때로 두려움으로만 바뀌었다. 그의 큰 눈에는 마치 여러 해 동안, 한 번도 들어 본 적도 없는 이상한 것들을 바라본 사람들처럼, 영원한 놀라움이 보였다.

발치오는 온종일 집 밖에 나가 노는 방법을 알고 있었다. 그리고 어느 날 아침, 농장 일꾼들이 건초 더미서나 숲의 어느 나무 아래서 그 아이를 발견하더라도 그들은 놀라지도 않았다. 그 아이는 들판 한가운데서 또한 작은 회색 기둥처럼 완전히 움직이지 않고 오랫동안 자신의 입을 벌린 채, 선 채로 있는 법을 알고 있었다. 하지만 뭘 보고 있는지는 나는 알 수 없었다. 나는 때때로 그가 그런 자세로 있는 것을 발견했고, 충분히 가까이 가 보면, 그의 한숨 소리를 들을 수 있었다.

왜 작은 아이의 한숨 소리가 그렇게 나를 공포에 질리게 한 것인지 나는 모른다. 나는 누군가를 향해 일종의 비난을 하고 싶고, 동시에 발치오를 보면 가엽기도 했다. 그러나 내가 그 아이에게 조금 더 용기를 내서 다가가면, 그 아이는, 잠에서 깨어난 듯, 번개처럼 덤불 속으로 달아났다.

그러다가 늘 이런 아이를 바라보시는 하나님도 분명 슬픈 영혼을 갖고 계실 것이라는 이상한 생각이 내 머릿속에 떠올랐다. 나는 또 왜 성화(聖畫)[33]에서 하나님은 늘 진지한 모습으로 등장하는지, 또 왜 성당에서 사람들이 낮은 소리로 말하고, 발끝으로 걸어야 하는지 그 이유를 이해했다. 그렇게 하찮은 아이 하나로 인해 나는, 판자 울타리 뒤에 내가 숨어 여자아이들을 훔쳐보는 일을 이젠 그만두었다. 그러고는 누이 조뇨에게 이제부터 함께 - 그 누이와 로뇨와 함께 - 놀겠다고 알린 후, 공원 방문을 결심했다.

물론 이 프로젝트는 내 누이를 엄청 기쁘게 했다.

- 그럼 넌 그때, 우리 둘이 산책하러 나오는 그때,

누이가 알려 주었다.

- 공원에 있어야 해. 또 전망대에서 늘 책 읽는 여선생님에게도 인사해야 하거든. 하지만 그분과는 길게 대화하면 안 돼. 왜냐하면, 그 선생님은 다른 사람이 자신을 방해하는 걸 좋아하지 않거든. 나중에 우리가 얼마나 즐겁게 지내는지 넌 알 거야.

같은 날 점심때, 내 누이는 신비한 표정으로 나에게 말했다.

- 3시에 거기로 와. 로뇨에게는 네가 거기 나와 있을 거라고 미리 말해두었거든. 궁전을 나설 때 - 내가 기침 한 번 하기 시작하면…

누이는 뭔가 일을 실행하기 시작했고 나는 당연히 나갔다. 사실 나는 기꺼이 방 안에서 내 자리나 차지하고 머문 적이 전혀 없었기 때문이다. 누이 조뇨가 내 뒤로 달려왔

33) *역주: 종교 그림.

을 때, 나는 이미 현관 앞에서 가고 있었다.

- 카지오! 카지오!

- 응, 왜?…

- 기침을 한번 하기 시작하면 이라는 그 말, 무슨 뜻인지 알지?…

누이는 엄숙하게 말했다.

- 물론.

그녀는 다시 방으로 돌아갔지만, 여전히 창문을 통해 나에게 소리쳤다.

- 기침을 내가 할 거야… 기억해!

그리고 약속시간이 아직 1시간 반 이상 남았음에도 불구하고, 내가 공원이 아니라면 어디로 갈 수 있겠는가? 평소에 매우 활기 넘쳤던 공원에 그날 새들이 지저귀는지도 모를 만큼 나는 생각에 골똘해 있었다. 나는, 몇 번 뛰어다닌 뒤, 호숫가에 묶인 보트에, 아무 데도 갈 수 없는 보트에 들어가 앉아, 너무 심심해, 그 보트 안에서 내 몸을 이리 저리로 흔들어 보았다.

나는 로뇨와의 교제를 어떻게 다시 이어갈지 고민하고 있었다. 그 일은 이렇게 벌어질 예정이었다. 조뇨가 한번 기침하면, 내가 고개를 숙인 채 사람이 다니는 옆길에서 주요 산책로로 나오기로 되어 있었다…

그러면 그때 조뇨가 이렇게 말할 것이다.

- "여기 봐, 로뇨, 여기 내 동생 카지미로 레스니에브스키Kazimiro Leśniewski 씨가 있네. 내 동생은 2학년생이

야. 로뇨, 너에게 그토록 많이 이야기했던, 그 불행한 유지오의 친구이기도 하거든."

그러면 그때, 로뇨가 내게 정중한 절을 할 것이고, 나는 모자를 벗고 이렇게 말할 것이다.

- "오래전부터 나는 생각하고 있었어요." … 아니, 그렇게 말고! "오랫동안 나는 아가씨, 당신과의 만남을 다시 이어가고 싶었습니다." … 아, 안 돼!… 이게 더 나을 것 같았다. "오래전부터 나는 아가씨 당신께 존경심을 표현하고 싶었습니다"

그러면 로뇨가 이렇게 물을 것이다.

- "신사분은 우리 동네에서 오래 머무실 건가요?…" 아니, 그 말 대신 이렇게 말할 것이다. "신사분을 만나 반가워요, 신사분 이야기를 누이인 조뇨에게 많이 들었어요." 그리고 그다음엔 무슨 말을?… 나중에 - 이렇게. "우리가 사는 이곳이 지루하지는 않나요? 신사분은 도회지에 이미 익숙해져 있으니." 그러면 나는 이렇게 대답할 것이다. "나는 숙녀인 당신 세계를 알기 전까지는 지루한 채 보내고 있었습니다."

이 순간, 수면 아래서 팔뚝의 절반 크기의 민물 꼬치고기 한 마리가 빠르게 솟구쳐 올랐다… 그 바람에 지금까지 꾸어온 꿈이 사라졌다. 여기 이 작은 호수에 저런 물고기가 있는데, 나는 - 낚시도구가 없구나!…

나는 재빨리 보트에서 일어나, 작은 낚시도구가 있는지 알아보러 집으로 출발하려고 가려는 바로 그 순간 - 조금 조심성이 부족했다. - 그곳에서 빨간 줄로 줄넘기하려던 로뇨를 거의 밀칠 뻔했다.

물고기들, 작은 낚시도구들, 진지한 만남을 위한 소통 계획 등 - 이 모든 것이 내 머릿속에서 한꺼번에 뒤섞여 버렸다. 여기에 - 민물 꼬치고기까지!…

나는 심지어 로뇨에게 인사하는 것도 까먹었다. 더 나쁜 것은 -내가 말을 꺼내는 것조차도 잊어버렸다. 하지만 정말 민물 꼬치고기 때문에… 로뇨 아가씨가, 시시각각 다른 방식으로 합쳐졌다가, 정확히 움츠려지는 입을 가진, 엄청 아름다운 갈색 머리의 로뇨 아가씨가 저위에서 나를 내려다보며, 자신의 풍성한 머리카락을 뒤로 젖히고 내게 간단히 묻기 시작했다.

- 우리 보트에 카지오 씨가 구멍 뚫었다는 게 사실이에요?

- 내가요?…

- 정원사가 나에게 그리 말했고, 그래서 엄마는 우리가 물에서 저 보트 타는 걸 허락하지 않았거든요. 엄마는 저 보트를 호숫가에 묶어두고, 보트 젓는 노도 숨겨 놓으라고 명하셨다던데요.

- 그런데, 정말 사랑하는 아버지께 맹세코, 이 보트에 구멍 내지는 않았어요!

예전에 우리 학교 감독관 선생님께 하듯이, 나는 변명했다.

- 그게 확실하기는 해요?

로뇨가 내 두 눈을 날카롭게 바라보며 물었다.

- 왜냐하면, 신사님은 그럴 능력이 있다던데요…

그 젊은 아가씨 말투가 내 마음에 들지 않았다. 깜찍한 아이 같으니! 내 동료 중 가장 힘센 학생도 나에게 그런 식으로 말을 걸지 않았는데.

- 내가 한번 아니라고 하면, 이미 그건 완전히 확실하거든요!…

나는 그 문장의 말 한마디, 한 마디를 정확히 강하게 강조하면서 답했다.

- 그렇다면 정원사가 거짓말한 거네요.

로뇨는 눈살을 찌푸리며 반복해 말했다.

- 숙녀님, 당신 어머님 말씀도 맞네요.

내가 답했다.

- 왜냐하면, 젊은 숙녀들은 보트로 물놀이하는 법을 모르기 때문이죠.

- 그럼, 신사님, 당신은 물놀이할 줄 알아요?

- 보트로 또 손으로 물놀이할 수 있고, 등을 대고 누워서도 할 수 있고, 서서도 할 수 있습니다.

- 그럼, 우리를 저 보트에 태워 줄 수 있나요?

- 숙녀님 어머니께서 허락하시면, 내가 그리 할게요.

- 그럼, 신사님, 저 보트에 구멍이 나 있는지 없는지 살펴봐요.

- 구멍은 없다니까요.

- 그럼, 저 보트 안의 물은 어디서 생겼어요?

- 빗물이지요.

- 빗물이라고요?

우리 대화가 중단되었다. 그러나 이를 통해 나는 로뇨 아가씨를 용감하게 바라볼 수 있을 만큼 엄청 얻은 게 많았다. 하지만, 그만큼 그녀는, 지금 이 문제로 인해, 나를 전혀 존중해 주지 않았다. 오히려 그녀는, 그 자리에서 다른 곳으로 가지 않고, 줄로 뛰뛰면서도 나에게 계속 말을 걸어왔다.

- 왜 우리랑 놀지 않았나요?

- 바빠서요.

- 뭘로 바빠요?

- 나는 배우고 있거든요.

- 방학 중에 공부하는 사람이 어디 있어요?

- 우리 학급에서는 방학 때도 배워야 해요.

로뇨는 그 줄을 2번 뛰뛰면서 말했다.

- 아다치오 친구는 4학년인데도, 축제일에는 학교 가지 않던데요. 아, 정말이거든요!… 그런데 신사님은 아다치오를 모르겠네요.

- 아가씨, 내가 그 학생 모른다고 누가 말하던가요?

나는 자랑스럽게 물었다.

- 신사님은 1학년이고, 그 친구는 3학년이었으니까요…

그녀는 다시 그 줄로 두 번 뛰뛰기했다…

나에게 뭔가 이상한 일이 생기겠구나 하고 생각했다.

- 나는 4학년 친구도 있어요.

나는 흥분해 반복하여 말했다.

- 상관없어요. 아다치오는 바르샤바에서 학교 다니고, 신사님은… 학교가 어디에 있나요?… 어디에요?…

- 시에들체Siedlce[34)]에요.

나는 낮은 목소리로 겨우 답했다.

- 그러고 나는 나중에 바르샤바로 여행할 거예요.

로뇨는 설명하고 덧붙여 말했다.

- 아마도, 신사님, 당신은 당신 누이에게 내가 여기 있다고 부르러 갔다 오세요…

그러고는 내 동의나 반대를 기다리지 않고 그녀는 계속 뜀뛰기를 하면서 정자 쪽으로 달려갔다.

나는 마치 마약에 취한 것 같고, 그녀가 나를 그렇게 대하는 이유를 도대체 이해할 수 없었다.

- '네가 나를 재미로 놀려도 내가 참아야지. 로뇨는 예의가 없어, 세심함도 없어. 코맹맹이 같으니라고!…'

나는 정말 내가 화가 났다고 생각하기 시작했다.

그러나 위에 쓴 말에도 불구하고, 내가 그녀 명령을 즉시 시행하는 것을 막지는 못했다. 나는 매우 서둘러, 어쩌면 너무 빨리 집으로 돌아갔다. -아마도 내면의 흥분 때문에.

누이 조뇨는 이미 우산을 들고서 정원으로 갈 채비를 하고 있었다.

- 저기 있잖아.

---

34) *역주: 시에들체 Siedlce는 폴란드 동부 마조프세주에 위치한 도시로, 면적은 32㎢, 인구는 77,392명(2010년 기준).

모자를 구석에 던지며 내가 말했다.

- 내가 로뇨를 이미 만나, 서로 인사를 했거든.

- 그게 무슨 말이야?…

누이가 궁금해하며 물었다.

- 별거 아니야, 누이!…

나는 누이 눈을 바라보지 않고 답했다.

- 로뇨가 얼마나 착한지, 얼마나 예쁜지 알겠지?

- 아! 그것은 나에게 전혀 관심 밖이거든. 그녀가 누나더러 거기로 와 달라고 했어.

- 그럼, 넌 안 갈 거야?

- 아니. 안 갈 거야.

- 왜?

누이 조뇨가 내 눈을 바라보며 물었다.

- 난 내버려 둬!…

나는 퉁명스럽게 대답했다.

- 내겐 마음이 들지 않아, 안 갈거야…

내 목소리가 매우 단호했던 것 같다. 누이는 내게 아무것도 묻지 않고- 혼자 떠나버렸다. 누이가 거의 달려가는 것을 보고, 나는 창문을 통해 누이를 불렀다…

- 누이, 부탁 하나 들어줘. 아무 말도 하지 마… 나는… 머리가 좀 아프다고 전해 줘…

- 그래, 그건, 걱정하지 마. 내가 널 해롭게 하겠어…

- 기억해줘, 누이, 나를 조금이라도 사랑한다면…

- 물론 우리는 아주 진심으로 인사하니…

오늘 누이 조뇨가 떠난 후, 나를 괴롭힌 감정을 내 기억에서 되살리기가 어렵다. 어떻게 로뇨, 그 아가씨는 나에게 그런 식으로 말을 걸어 왔는가?… 실로, 선생님들, 특히 감독관 선생님은 나를 아주 자상하게 대해 주셨다. 음 - 하지만 그분들은 나이가 많으신 분들이다. 그래도 나는 동료 학생들 사이에서는, 1학년을 마치고 (지금은) 2학년생이니, 나는 그들로부터 존중받아왔다. 그리고 여기, 고향에서는 - 아버지께 내가 어떻게 말씀을 드리는지를, 농장 일꾼이 내게 어떻게 고개 숙여 인사하는지를 들어 봐요. 또 얼마나 자주 그 농장 서기가 내게 "카지미로 씨, 담배 한 대 하러 내게 와 주겠는가?" 라는 말하면, 나는 곧장 대답하기를 "고맙지만, 신사님, 저는 그걸 습관으로 하기는 싫어요." 그러면 그 서기는 말했다. "당신, 카지미로 씨, 그럴 능력이 있다는 게 얼마나 행복한 일인지 아직 모르는군요… 당신은 그 여성가정교사에게도 지지 않을 겁니다…"

나이 드신 분들의 태도에 맞춰 나도 진지하게 행동했다. 본당신부님이 친히 아버지에게 이렇게 말씀하셨다. "레스니에브스키 아버님, 보세요. 학교가 저 소년을 저렇게 변화시켜 놓았어요. 이 아드님 카지오는 1년 전만 하더라도 장난꾸러기, 바람둥이였지만, 오늘날 그는 메테르니히[35)]

35) *역주: 클레멘스 벤첼 로타어 폰 메테르니히 후작(Klemens Wenzel Lothar von Metternich: 1773-1859) 합스부르크 제국 - 오스트리아 제국의 외교관, 정치가. 오토 폰 비스마르크의 등장 이전에 프랑스 탈레랑과 함께 19세기 전반기 유럽의 국제 질서를 정립한 주인공이자 백년 평화를 이룩하게 만든 주역.

Metternich 정치인같이 신중한 사람이 되어 있어요."
사람들이 나를 그렇게 평가하는데…
그런데, 지금 학교에서 1년 수업도 전혀 받아본 적이 없는 저 '염소 같은 소녀'가 감히 나에게 "어린 신사님, 그 일을 할 수 있을 것 같은데요…" 라고 말하는 경우가 있다. 신사? 어린 신사라니?… 마치 그 소녀가 다 큰 아가씨처럼 행동하네! 아마 그녀가 무슨 아다치오라는 아이를 알고 지내면서 벌써 자랑스럽게 고개를 빳빳이 들었구나. 그런데 그 아다치오 라는 이는 도대체 누구인가? 그 소년이 3학년을 벌써 마쳤다는데, 나는 2학년에 진학할 예정이니. 큰 차이가 있네! 그가 당나귀라도 된다면, 내가 그를 따라잡을 것이고, 심지어 그를 능가할 것이다. 게다가 그 소녀는 나더러 마치 나를 하인이라도 되는 양, 가서 누이 조뇨를 불러오라 명하다니. 우리는 내가 네 말에 두 번이나 복종하는지 보게 될 거야. 나는, 명예를 걸고 말하건대, 만약 그녀가 그런 명령 조의 말을 다시 한다면, 나는 간단히 - 내 호주머니에 손을 넣은 채로 답하리라. "너무 많은 것을 네게 허용하지 마!" 아니면, 이렇게 말하는 편이 낫겠다. "나의 로뇨야, 넌 아직 예의를 배우지 못했구나…" 아니면 이렇게도 말해 볼 테다. "나의 로뇨야, 내가 너와 친교라도 맺기를 원하면, …"
나는 좋은 답을 찾을 수 없다는 느낌에, 점점 더 짜증이 났다. 내 표정조차 눈에 띄게 변했다. 왜냐하면, 우리 노마님 보이츠에코바Vojcjeĥova - 알베르토Albert 씨의 아내-

가 내 방에 2번이나 들어와 나를 의심스러운 눈초리로 쳐다보더니 마침내 말을 꺼냈다.

- 아, 맙소사, 카지오가 왜 이리 기분이 상해 있어?… 카지오가 뭔가 망쳐 놓았어, 아니면 아버지와 무슨 불쾌한 일이 있었던 걸까…

- 아무 일도 없었거든요.

- 네 얼굴은 그렇지 않다는 게 보여. 넌, 내 앞에서 아무것도 숨기지 못해. 만일 네가 뭔가 잘못한 일이 있으면 즉시 아버지께 고백해.

- 난 아무 짓도 안 했거든요. 방금 조금 피곤할 뿐이에요.

- 피곤하면 좀 쉬고 뭘 좀 먹어. 즉시 내가 꿀이 든 빵을 가져다줄게.

그 노마님은 서둘러 나갔다가, 잠시 후 꿀이 뚝-뚝- 떨어지는 큰 빵 한 조각을 들고 돌아왔다.

- 근데 난 안 먹을 거예요. 저를 그냥 좀 내버려 둬요!..

- 왜 안 먹어? 꿀이 손가락에 흘러나오니 빨리 먹어. 배가 부르면, 즉시 기분도 나아질 거야. 사람은 배가 고프면 항상 화가 나거든. 하지만 조금 배를 불리면 즉시 머릿속도 맑아지거든… 자, 어서 손에 집어.

나는 노마님이 내 머리카락이나 교복에 꿀을 떨어뜨릴까 봐 그걸 받아야만 했다. 아무 생각 없이 그 꿀빵을 먹어치웠더니, 정말 마음이 한결 가벼워졌다. 나는 로뇨와의 친교 문제를 어떻게든 해결하고 싶은 생각도 들고, 또 불쌍한 발치오, 그 아이가 평소 꿀빵을 먹을 기회가 없겠구나 하는 생각도 들고, 내가 그 아이를 이미 좋아하기에, 그 아이에게 이 꿀빵을 줬으면 좋겠다는 생각도 들었다.

내 요청에 따라, 노마님은, 자신의 치료법의 좋은 효과를 보고, 꿀을 아끼지 않고서, 나를 위해 훨씬 더 크게 꿀빵을 잘라 주셨다. 나는 조심스럽게 그 꿀빵 조각을 들고 그 아이를 찾으러 나갔다.

나는 그 아이를 주방에서 멀지 않은 곳에서 찾아냈다. 그와 웃으면서 이야기하고 있는 사람들이 있었는데, 그때 숲에서 목재를 마차로 실어 오는 농장 일꾼 2명이었다.

- 엄마가 한 번 더 때리면, 저 넓은 세상으로 유랑이나 떠나버려. 응, 그렇게 할 거지?…

그 두 사람 중 한 사람이 말했다.

- 하지만 나는 그 방법을 모르겠어요.

발치오가 대답했다.

- 장화 한 켤레를 장대에 매고, 숲 뒤로 가면 되지. 바깥세상은 넓어.

- 그런데 장화가 없어요.

- 그럼 장대 하나만 가져가. 장화 없이도 장대만 사용하면 도달할 수 있거든.

내가 온 것을 보자, 그 아이는 우엉밭으로 달아났다.

- 그 아이한테 뭐라고 말했어요?

내가 농장 일꾼들에게 물어봤다.

- 아무것도. 우리가 일상으로 하듯이, 그 아이를 바보처

럼 놀렸거든.

꿀이 내 손가락에서 흘러내린다는 느낌이 들어, 나는 이젠 그 일꾼들과 이야기하지 않고 발치오를 만나러 갔다. 그는 잡초들 사이에 서서 나를 보고 있었다. 내가 그를 불렀다.

- 발치오, 여기 꿀빵 있어. 이것 먹어.

그는 움직이지 않았다.

- 자, 어서 와…

그리고 나는 몇 걸음을 내디뎠다.

그러자 그 아이는 도망가기 시작했다.

- 오! 정말 어리석네… 자, 이 꿀빵을 가져가. 내가 여기 놔둘게, 여기, 여기…

나는 돌 위에 놓고 그 꿀방을 두고 떠났다. 그러나 내가 주방 모퉁이 뒤에 몸을 숨기자, 그제야 그 아이는 그 돌에 다가가, 꿀빵을 주의 깊게 살펴보기 시작했고 마침내, 내가 예상한 대로 먹성 좋게 잘 먹었다.

한 시간 후, 숲을 향해 걸어가다가 나는 어느 정도 거리를 두고 내 뒤에서 달려오는 그 아이를 알아차렸다. 내가 걸음을 멈추자, 그 아이도 그 자리에 멈춰섰다. 내가 집 쪽으로 돌아서자, 그는 옆으로 뛰어가 덤불 속에 숨었다. 그러나 잠시 후 그는 다시 내 뒤로 달려왔다.

같은 날, 나는 그 아이에게 또다시 꿀빵을 주었다. 그는 내 손에서 그것을 가져갔지만, 여전히 소심한 성격이라, 가져가는 즉시 달아났다. 그러나 이때부터 그는 항상 어느 정도 거리를 두고 내 뒤에서 걷기 시작했다. 아침부터 그는 새처럼, 어느 다정한 손이 곡식을 뿌려주는 것을 기다리는 새처럼, 우리 창문 주위를 돌아다녔다. 저녁에 그는 우리 건물의 주방 옆에 앉아, 우리 사무실을 바라보았다. 불이 꺼진 후에야 그는 난로 뒤에 이부자리 위에 자러 갔다. 그곳에서는, 그의 머리 저위로 귀뚜라미 소리가 들려왔다.

로뇨와의 첫 만남이 있은 지 며칠 후, 나는 마지못해 누이 말에 복종하고는, 누이와 함께 공원으로 갔다.

- 알아 둬,

누이가 나에게 강조해 말해 주었다.

- 로뇨가 네게 엄청 관심 있다고 했거든. 로뇨는 항상 너 이야기를 하거든. 로뇨는 네가 그날 그때 돌아오지 않은 것에 화를 내며, 언제 또 올 것인지 계속 물었거든.

그러므로 나 자신의 뭔가가 로뇨에 관심을 끌리게 했음은 놀라운 일이었다. 유지오 죽음으로 생긴 나의 그리움은, 내가 로뇨와 사귀게 되어, 그 소녀를 팔로 부축해주며 산책도 하고, 그녀와 매우 진지하게 토론을 시작했을 때, 그때야 끝난 것 같았다. 하지만 무엇에 대한 그리움이던가? 나는 오늘날도 그것을 모른다. 나는 단지 그 소녀에게 말을 교양 있게, 또 많이 싶었다. 내 이야기를 들어 줄 사람이 로뇨 혼자이기만 바라고 있었다.

둘이 함께 산책한다는 생각이 처음 들었을 때, 내 가슴 속이 마치 하프처럼 연주되는 것 같고, 이슬방울 속 햇살처럼 빛나는 것 같았다. 그러나 현실은 항상 그 꿈과는 일치하지는 않았다. 그래서 나는, 내 누이에 이끌려, 로뇨를 다시 만나게 되자, 나는 그런 이상적인 대화를 시작하려고 로뇨에게 이야기를 꺼냈다.

- 숙녀인 당신은 기꺼이 물고기를 잡으러 가겠어요?

그 말을 듣는 순간, 그 소녀들은, 서로 손을 잡고, 속삭이더니, 길에서 뛰어다니며 미친 듯이 웃었다. 나는 깜짝 놀라, 손가락으로 낚싯바늘을 빙빙 돌렸는데, 회색 말의 꼬리의 긴 털이 그 낚싯바늘에 걸려 뽑히는 바람에, 그 말의 말발굽에 맞을 뻔했다.

나는 기분이 상해 그 자리를 떠나려 했을 때, 그 소녀와 누이 조뇨가 돌아왔다. 누이 조뇨가 먼저 말했다.

- 로뇨가 네게 요청하기를, 너희 두 사람이 서로 이름을 부르면서 대화했으면 좋겠다고 해.

나는 정중하게 큰 절로 인사하고는, 부끄러워 말없이 고개를 숙였다.

그 두 사람은 다시 웃으며 물고기가 커가는 작은 호수로 내달렸다.

- 이것 아나요, 어린 신사님…

로뇨가 그렇게 말을 시작했지만 즉시 그녀는 자기 생각을 바로잡았다.

- 조뇨, 넌 우리가 보트를 타고, 물놀이하는 걸 우리 어머니가 단정적으로 금하셨다는 걸 잘 알지. 네 남동생이 우리를 보트 태워주겠다는 걸 어머니께 말씀드려도, 어머

니는…

그러고는 그녀는 조뇨 귀에 대고 긴 문장을 속삭였다. 그러나 나는 그것이 무엇을 의미하는지 즉시 추측했다. - 아마 그 어머니는 2학년에 재학 중인 내가 물놀이를 잘 하지만, 저 여자아이들을 물에 빠뜨리지 않을까 하는 두려움이 있는 것 같았다!…

나는 부끄러웠다. 로뇨가 이를 보고 갑자기 말했다.

- 제발, 어린 신사님…

다시 그녀는 자신의 말을 정정했다.

- 조뇨야, 네 동생에게 우리를 위해 저 호수의 물 백합 좀 꺾어 달라고 부탁해 봐. 저 꽃이 너무 아름답지만, 한 번도 내 손에 쥐어본 적이 없거든.

내게서 용기가 생겨, 영감을 주었다. 적어도 지금이 내가 알고 있는 것을 보여줄 때다.

작은 호수에 물 백합이 많이 자라고 있었다. 하지만, 호수 가장자리에는 그 물 백합이 없고, 조금 더 안쪽에 있었다. 나는 장대를 마련해, 흔들리는 보트에 올라탔다.

백합에는 다소 탄력적인 줄기들이 있다. 내가 장대를 이용해, 그 백합들에 가까이 다가갔지만, 곧 그 백합들이 미끄러져 달아났다. 그래서 나는 바깥에 나와, 다시 갈고리 같은 가지가 한쪽 끝에 달린 더 긴 장대를 찾아냈다. 이번 시도는 더욱 성공이었다. 팽팽하게 끌어당긴 백합이 내 쪽으로 끌려 왔다… 아주 가까이… 그래서 내가 왼손을 뻗었다. 하지만, 아직 멀어 보였다. 내가 보트 뱃머리에서 무릎을 꿇고 몸을 숙여 그 백합을 잡으려는 순간, 갑자기 내가 호숫물에 고부라져 빠져 버렸다. 내가 쥐고 있던 장대가 내 손에서 빠져나가고, 백합은 다시 저 멀리 밀려 나버렸다.

나를 지켜보던 아가씨들이 비명을 지르기 시작했다… 나도 크게 소리 질렀다.

- 아무 일도 일어나지 않아. 아무 일도 일어나지 않았다구! 여기는 얕아!..

나는 내 모자에 들어간 물을 퍼내고는 다시 모자를 머리에 쓰고, 호숫가 쪽으로 걸어 나왔다. 넓적다리까지 물에 잠긴 채 물속에서 허우적거렸는데, 호숫가로 나오면서 보니, 나중에 무릎까지 온통 개흙이었다. 그렇게 나오면서 나는 백합 한 송이를 꺾고, 둘째 송이, 셋째, 넷째 송이를 꺾었다…

- 카지오! 제발 나와…

누이가 울면서 소리쳤다.

- 그만하면 충분해!..

로뇨도, 누이와 똑같이, 말했다.

나는 이에 응하지 않았다. 나는 다섯째, 여섯째, 또 열째 백합을 뽑은 다음, 그 잎사귀들도 꺾었다.

그러고는 나는 호수에서 나왔다. 발부터 머리까지 흠뻑 젖었었고, 무릎 위로도, 또 소매까지 개흙으로 더럽혀 있었다. 호숫가에 나와서는, 내가 꺾어온 꽃을 로뇨에게 주었으나, 그 꽃을 받지 않으려 했다. 또 살펴보니, 그 둘 뒤에 두려움으로 얼굴이 노래진 채 숨은 이 - 발치오가 있었다…

로뇨 얼굴에 눈물 자국을 내가 보자, 로뇨가 갑자기 웃기 시작했다.

- 저 봐, 조뇨, 이 모습을!…

- 맙소사! 아빠가 뭐라고 말씀하실까?…

누이 조뇨가 나를 불렀다,

- 동생아, 적어도 세수는 해. 왜냐하면, 너는 온몸이 개흙투성이야.

나는 마지못해 개흙 묻은 손으로 내 코를 만졌다. 그러자, 로뇨가 웃음을 참지 못한 채 풀밭에 앉기조차 했다. 조뇨도 웃으며 눈물을 닦았다. 심지어 발치오도 입을 벌려 울음소리와 비슷한 목소리를 냈다.

그러자 이제 그 아가씨들도 발치오가 있음을 알아차렸다.

- 저게 누구야?

누이가 물었다.

- 저 아이가 어디서 왔지?

- 저 아이는 네 동생과 함께 왔어.

로뇨가 답했다.

- 나는 재가 덤불에서 나오는 것을 봤어.

- 하나님! 저 아이 모자가 정말 이상해!.. 저 아이가 카시오, 네게 뭘 원하는 거지?…

누이가 말했다.

- 저 아이가 며칠째 나를 따라다니고 있어.

- 아하! 저 아이가 우리를 피해 다닐 때, 카시오가 저 아이와 놀았던 것 같애…

로뇨가 수상한 듯이 말했다.

- 저 봐, 조뇨, 저 두 사람 모습이 어찌 저래. 한 사람은 온전히 젖어 있고, 다른 한 사람은 씻지도 않은 채 있고…. 오, 나는 정말 웃지 않을 수 없다고!..

발치오와 나를 비교하는 것이 전혀 내 마음에 들지 않았다.

- 글쎄, 동생아, 카지오, 몸을 좀 씻고, 집에 가서 옷도 갈아입어. 그동안 우리는 정자로 가 있으마.

너무 심하게 웃는 바람에 거의 경련을 일으킬 뻔한 로뇨를 자리에서 일으켜 세우면서 조뇨가 말했다.

그 둘은 떠났다. 남은 사람은 나, 발치오. 또 –풀밭에 아무도 일으켜 세우지 않은 백합 다발이.

- 그럼 이게 내 희생에 대한 보상인가? 입안에 개흙이 들어가 있는 느낌으로 씁쓸하게 생각했다. 나는 학생모를 벗었다. 끔찍했다. 그 모자가 찌그러진 모습이!.., 그 모자가 넝마가 된 것 같았고, 학생모 창부분이 부분적으로 벗겨졌다. 교복, 조끼, 셔츠에서 물이 급류로 흘러내렸다. 그 물이 내 장화를 가득 채웠고, 내가 움직일 때마다 심지어 장화 속 물소리가 처-벅-처-벅 들려왔다.

리넨이 나에게 천 조각처럼 되어버렸고, 그 천 조각이 가죽처럼 되어버렸고, 그 가죽이 나무가 되어버린 느낌이다. 그리고 그곳, 저 정자 쪽에서는 그 여성가정교사에게 내 모험담을 말하는 로뇨의 웃음소리가 아직도 내 귀에 들린다.

잠시 뒤, 그들이 여기 올 것이다. 나는 씻고 싶었으나, 씻는 것을 중단하고, 달아났다. 왜냐하면, 그네들이 벌써 내 쪽으로 오고 있었다!… 나는 이미 산책로에서 오고 있는 그들 옷을 보고, 여성가정교사가 놀리는 소리가 들려왔다. 그네들이 집으로 가는 나의 길목을 막고 있기에, 나는 다른 편으로, 울타리 쪽으로 몸을 돌려야만 했다..

- 그 학생은 어디 있지?

그 여성가정교사가 소리치듯이 묻는다.

- 저 봐요, 저기, 저기요!… 저 소년들, 둘 다 달아나네요.

로뇨가 답했다.

이제 나는 발치오가 한 걸음 한 걸음씩, 내 뒤에서 달려오고 있음을 볼 수 있었다. 나는 울타리에 먼저 도착했고, 그도 곧. 나는 울타리 기둥에 올랐고, 그도 곧. 그리고 우리 둘 다 서로 얼굴을 마주 보고는, 말을 탄 것처럼, 울타리에 걸터앉아 있을 때, 저 관목들 사이에서 로뇨, 조뇨와 여성가정교사 모습이 보였다.

- 아! 여기 이 친구도 있네요!

로뇨가 웃으며 소리쳤다.

나는 울타리에서 뛰어내려 들판을 가로질러, 우리 사무실이 있는 건물로 달려갔다. 발치오는 항상 나를 뒤따랐다. 이러한 쫓고 쫓기는 놀이에 그는 즐거운가 보다. 그가 입을 해죽 벌리고 만족감을 나타내는 괴성을 질렀기 때문이다.

나는 멈췄다 - 화가 크게 났다.

- 얘야, 넌 나한테 뭘 원하는 거야?… 왜 쉬지 않고 나만 따라다니는 거야?

나는 그 아이에게 말했다.

발치오는 깜짝 놀랐다.

- 저리 가, 저리 가!…

나는 주먹을 꽉 쥐며 말했다.

- 나를 부끄럽게 만들어. 모두가 나를 비웃는다구… 그래도 가끔 내 앞길을 가로막으면, 내가 너를 때려버릴 테다…

그렇게 말하고 나는 떠났고, 그 아이는 그 자리에 남았다. 내가 십여 걸음 더 가서, 고개를 돌려 보니, 그 아이는 같은 자리에 있었다. 그는 나를 바라보며 큰 소리로 울었다.

나는 흡혈귀 같은 모습으로 우리 주방으로 달려갔다. 내가 밟은 곳마다, 물 자욱이 남아 있었다. 내 모습을 보고, 겁에 질린 암탉들이 꼬-꼬-댁-하며 소리내고, 날개를 펼치고 창문으로 날아서 달아났다. 일하던 하녀 아가씨들은 웃음을 터뜨렸고, 보이츠예코바는 손뼉을 쳤다.

- 말씀이 육신이 되었네![36]… 네게 무슨 일이야?…

---

36) *역주: 성경의 복음서(요한복음 1:14)에 나오는 대단한 놀라움을 나타내는 표현.

노마님이 외쳤다.

- 보면 모르겠어요?… 제가 물고기들이 있는 호수에 빠졌어요, 그게 다예요!… 보이츠예코바 노마 님, 리넨 옷, 장화, 셔츠를 갖다 주세요… 어서요!

- 내 슬픔의 끊임없는 원인이 바로 이 카지오네!

보이츠예코바가 답했다.

- 저 교복에 단추들이 모두 내뺀 것 같네… 카트리뇨, 어서 장화를 찾아 줘.

노마님은, 다른 아가씨 도움을 받아, 내 교복 단추를 풀면서 벗기기 시작했다. 그 두 사람은 그럭저럭 성공했지만, 장화 벗기는 일은 정말 더 어려웠다. 장화 두 짝이 전혀 빠지지 않았다. 마침내 그 두 사람은 말을 돌보는 마부를 불러 도와 달라고 했다. 나는 판자 침대에 누워야 했고, 보이츠예코바와 하녀 둘이 내 양팔을 붙들고, 그 마부가 내 장화를 벗겼다. 나는 그 마부가 내 발을 탈구시키는구나 하고 여길 정도로 아팠다. 그러나 30분 뒤, 나는 완전히 인형처럼 변해 있었다. - 나를 닦이고, 옷을 바꿔 입히고, 머리에 빗질도 해 주었다. 누이 조뇨가 와서, 내 리넨으로 된 교복 단추를 꿰매고, 보이츠예코바는 젖은 옷에서 물을 짜낸 다음, 그것을 지붕 아래 다락방으로 가져간 다음, 오늘 일어난 일에 대해 거론하지 않고 조용히 있겠다고 약속했다.

그러나 귀가하신 아버지는 이미 모든 것을 알고 계셨다. 아버지는 나를 조롱하며 고개를 저으며 말씀하셨다.

- 이런, 이 멍청한 놈아, 멍청한 놈아!… 지금 로뇨를 찾아가, 그녀더러 내게 새 바지를 사 달라고 해.
곧 술 만드는 남자가 나타났다. 이 사람도 나를 둘러보더니, 웃었다. 하지만, 나중에 아버지 사무실에서 그가 아버지께 하는 말을 내가 들었다.
- 정말 활달한 악동이네요! 앞으로는 저 소년은 그 아가씨들을 뒤쫓아 불구덩이로도 들어갈 거예요… 우리가 어렸을 때 그랬던 것처럼요, 레스니에브스키 씨.
농장의 모든 사람이 내가 로뇨를 친근하게 대한 일을 알았음을 추측했고, 나는 부끄러웠다.
저녁이 되기 전, 농장 안주인과 로뇨, 그 여성 가정교사가 나를 보러 왔다. 그 숙녀분들은 모두, - 참으로 놀랄 일이다! - 자신이 입은 옷에… - 내가 땄던 그 백합이 한 송이씩 매달려 있었다…
나는 땅속에라도 들어가 숨고, 도망가고 싶었는데 - 그 숙녀분들이 나를 불러 세웠기에, 나는 그분들 앞에 대면하게 되었다.
나는 그 여성가정교사가 나를 매우 매우 호의적으로 바라보고 있다는 것을 알았다. 그러고 그 백작 부인은 나의 붉은 얼굴을 쓰다듬으며, 내게 사탕을 몇 개 주었다. 그러고는 백작 부인은 말씀하셨다.
- 애야, 네가 그렇게 예의 바르게 행동한 것은 매우 잘한 일이야. 하지만 제발 작은 아가씨들을 보트에는 태우지 말아 줘요. 잘 알아들었니?…

나는 그 부인 손에 키스하고, 무언가를 중얼거렸다.

- 또 한가지, 직접 물놀이도 하지 말아요. 약속하지?

- 물놀이하러 가지 않겠습니다.

그런 다음, 백작 부인은 그 여성가정교사에게 몸을 돌려 프랑스어로 말했다. 나는 그 부인이 이 낱말을 여러 번 반복하는 것을 들었다. - 'heroo' 이라는 낱말을. 불행하게도, 그때 아버지도 그 부인의 말을 듣고는 말씀하셨다.

- 아, 맞습니다, 백작 부인. 헤롯왕[37]이지요, 진짜 헤롯왕이라 할 수 있지요!..

숙녀들은 미소를 짓기 시작했고, 그분들이 떠난 뒤, 누이 조뇨는 아버지께 그 'heroo' 라는 낱말 뜻을 설명하려고 했다. 이를 'héros' [38]라고 쓰는데, 프랑스어에서는 '헤롯왕' 을 의미하지 않고 '영웅' 을 뜻한다고 했다.

- 영웅? - 아버지를 반복했다. - 이 녀석은 교복도 물에 적시고, 바지마저 찢는 데, 그런 애를 영웅이라니. 재봉사 슐림 Ŝulim 에게 약 20즈워티를 지급해야 하는 영웅이라니. 다른 사람들이 그 영웅 대가를 치러야 한다는 그런 영웅주의라면, 그건 악마가 가져가 버려라지.

아버지의 산문 조의 의견에 나는 많이도 상심했다. 하지만 나는 그것이 아무 뒤탈이 없었기에 하나님께 감사했다.

---

37) *역주: 헤로데 1세(라틴어: Herodes I, 기원전 73년경 ~ 기원전 4년) 또는 헤로데 대왕(라틴어: Herodes Magnus, 영어: Herod the Great), 헤롯(개역한글판)은 로마 제국 시대에 유대 지방에 분봉된 왕, 즉 로마 제국이 유대를 간접 지배하기 위해 유대의 왕으로 임명한 자이다.

38) *역주: (프랑스어) 영웅.

그 일이 있고 난 뒤로는 나는 공원에서뿐만 아니라 궁전 안에서도 로뇨를 자주 만났다. 나는 궁전에서 점심도 몇 번 먹었는데, 그 순간은 나를 많이 당황하게 했다. 그분들은 거의 매일 우리 저녁 식사 때보다 더 이른 저녁 식사를 했다. 그 식사 때 나온 음식으로는 커피나 딸기, 또는 설탕과 생크림을 곁들인 유럽 산딸기(라즈베리)[39]이었다.

나는 나보다 더 나이 많은 여성들과 자주 이야기를 나눴다. 백작 부인은 내가 책을 많이 읽는 것에 감탄했는데, 이는 그 척추장애인 친구가 소유한 책들에 내가 빚을 졌다. 그리고 여성가정교사 클레멘티노 양은 나에 푹 빠져 있었다. 클레멘티노 양의 동정심에 관해 말하자면, 이는 나의 학식에 대한 관심보다는 그 농장 서기에 관한 대화에 관심이 더 컸다. 그 서기가 감독하는 곳의 이야기며, 그 서기가 그 여성가정교사를 어떻게 말하는지가 그녀 관심의 주였다. 마침내 이 학식 있는 서기가 내게 발설하기를, 그 여성가정교사가 자기에게 시집오고 싶지 않다며, 자기를 그 여성이 높이 세우기만 바란다고 했다- 도덕적

39) *역주: 나무딸기(산딸기). 산딸기(라즈베리, raspberry)는 장미목 장미과 산딸기속(Rubus)에 속하는 열매, 또는 그 중에서도 산딸기아속(subg. Idaeobatus)과 루부스아속(subg. Rubus)에 속하는 먹을 수 있는 열매를 맺는 식물의 통칭이다. '나무딸기'라고도 부른다. 영어로는 '숲속에서 잘 자라는 식물로 식용 가능한 알록달록하고 동글동글하며 작은 열매'를 종에 상관없이 모두 베리(berry)라고 부르는데, 그 중에서 산딸기속(Rubus)에 들어있는 종을 라즈베리(Raspberry)라고 칭한다. 따라서 산딸기와 라즈베리는 같은 말이나, 한반도에 자생하는 한국산딸기(R. crataegifolius)와 유럽산딸기(유럽라즈베리, R. idaeus var. vulgatus)는 속은 같고 종에서 갈라져 나온 친척이다. 한국산딸기는 영어로 코리안 라즈베리(Korean raspberry)라고도 부른다.

으로.

그 여성가정교사가 한때 나에게 토로하기를, 그녀 의견에 따르면, 이 세상 여성의 역할이란, 남성을 도덕적으로 높이 세우는 일이고, 또한 나 자신도, 성인이 되면, 나를 높이 세워 줄 그런 여성을 꼭 만나야 한다고 했다.

나는 그 여성가정교사의 이 같은 강의가 정말 좋았다. 나는 언제나 점점 더 진지하게 클레멘티노 양에게 그 농장 서기 소식을 전하고, 그 서기에게 클레멘티노 양 소식도 전하였으니, 그 두 사람 모두로부터 나는 호의를 얻었다.

그밖에, 오늘 내가 기억하는 것은, 그 궁전에는 특별한 생활 방식이 있었다. 백작 부인의 약혼자는 사나흘에 한 번씩 그 백작 부인을 방문했다. 클레멘티노 양은 그 농장 서기를 엿볼 수 있는 공원 구석마다 매일 여러 차례 방문했다. 그녀가 말했듯이, 적어도 그곳에서 그녀가 그이 목소리를 들을 수 있었다. 아마 그때는 그 서기가 농장 일꾼들을 질책할 때였나 보다. 그런데 어떤 하녀는, 자신의 처지와 그 서기를 사모하는 감정 때문에 다른 창문에서 번갈아 울었다.

그곳에서 봉사하는 다른 아가씨- 하녀들은 그 궁전 상전들을 흉내 내면서 하인이나 뷔페에 일하는 소년이나, 요리사나, 보조요리사나 마부들에 자신들의 감정을 나누었다. 심지어 늙은 살로메오 마음도 자유롭지 못했다. 그녀 마음은 수컷들- 칠면조, 거위, 오리, 닭 -과 거세된 수탉뿐만 아니라, 그들과 함께 무리 지어 살아가는 다양한 깃털과 다양한 모양의 암컷들을 어떻게 관리할지에 가 있고, 그런 무리 속에서 늙은 살로메오는 온종일 시간을 보내고 있었다.

물론 이렇게 바쁜 환경 속에서도, 우리 청소년의 시간은 자유롭게 흘러갔다.

우리는 아침부터 저녁까지 놀았고, 더 나이 많은 사람들이 우리에게 점심 먹으라고, 저녁 먹으라고 또는 밤의 휴식하라고 요청했을 때만 그분들을 만났다.

이러한 자유로움 덕분에 로뇨와 나의 관계는 아주 독창적으로 정리되었다. 그녀는 며칠 동안에는 나를 "카지오" 라고 이름을 부르더니, 어떤 때는 "너 또는 자기야!" 라고 불렀다. 또 그녀는 나를 자신의 봉사자로 이용했고, 심지어 나를 욕하기도 했다. 한편, 나는 - 항상 그녀를 "숙녀[40]" 나 "조피오Zofjo 양" 이라고 불렀다. 그러고 로뇨를 만나면서, 내가 하는 말은 점점 줄어들었고. 그녀 말은 점점 더 늘어났다. 어떤 경우에, 내게 1년 뒤면 3학년에 들어갈 사람이라는 자긍심이 깨어났다. 그때, 내가 로뇨 명을 받아, 내 누이를 부르러 가고 있을 때, 처음으로 이 로뇨 말을 순순히 들어 주던 그 순간을 증오했다. 나는 스스로 말했다.

- 저 여자애는 도대체 무슨 생각을 하는 거야? 내 아버지가 그녀 어머니 곁에 봉사하듯이, 나를 자기 곁에 봉사

---

40) *역주: 미혼 여성도 폴란드에서는 "숙녀"라고 부름.

하는 사람으로 보는 거야?…

이런 식으로 나는 스스로 반항하며 달라져야겠다고 결심했다. 그러나 곧장 로뇨를 만나면, 나는 모든 용기를 잃었다. 내가 뭔가 내 마음에 불평을 남기려면, 그때 로뇨는, 그렇게 성급히 명령하듯이, 그렇게 내가 그녀 요구사항을 들어주지 않으면 안 된다는 듯이, 자신의 발 하나로 땅을 차는 것이 아닌가.

한번은 내가 참새 한 마리를 잡았는데, 내가 즉시 그녀에게 주지 않자, 그녀는 나를 불러세웠다.

- 네가 그 참새 주고 싶지 않다고, 그렇다면!… 네가 잡은 참새, 난 필요 없다고…

그녀가 너무 기분이 상해 화내면, 나는 그녀에게 내가 잡은 참새를 꼭 받아달라고 맹세하듯이 매달려야 했다. 하지만, 그녀는 완고하게 거절했다.

-필요 없다고, 필요 없다고!…

나중에 가서야 나는 그녀에게 용서받는 데 겨우 성공했다. 그때는 당연히 누이 조뇨 도움이 컸다. 그러고도, 나는 며칠간 로뇨가 하는 불평을 들어야 했다.

- 살아오면서 난 너에게 그런 불쾌한 일 같은 것을 전혀 할 줄 모르거든. 지금 네가 얼마나 평상심을 가지는지 난 잘 알겠거든. 우리가 만난 첫날엔 너는 나를 위해 물 백합도 따려고 물에 뛰어들었는데, 벌써 어제는 내가 그 작은 새를 한번 가지고 놀겠다는데 너는 허락하지 않았거든. 나는 이제 모든 걸 알겠어. 아! 어떤 소년도 나에게 그런 식

으로는 행동하지 않는다고 …

그리고 내가 그녀에게, 모든 가능한 설명을 하고 화를 그만 거둬달라고 하자, 그녀 답은 이러했다.

- 내가 언제 화냈다고 그래?… 내가 네게 화내지 않은 것은 너도 가장 잘 알거든. 그것은 나에게 불쾌할 뿐이거든. 하지만 그것이 나에게 얼마나 불쾌했는지는, 아무도 상상할 수 없거든!… 네 누이 조뇨에게 일러, 네게 말할까, 그것이 내게 얼마나 불쾌한 일이었는지를.

그때 옆에 있던 조뇨가, 엄숙한 표정을 지으며, 로뇨가 그 일로 엄청, 엄청 불쾌해한다고 나에게 설명했다.

- 그건 그렇고, 로뇨가 직접 그 일로 얼마나 불쾌했는지 직접 말해.

나의 사랑하는 누이가 그렇게 거들었다.

이편에서 치이고 저편에서 치인 나는, 그 불쾌함 정도를 좀 더 정확하게 정의하려고, 나의 사고력을 온전히 상실했다.

나는 기계가 되어버렸다. 어린 숙녀들이 선호하는 일만 해주는 기계가 되어버렸다. 왜냐하면, 나의 편에서의 가장 작은 독립적 의사 표시조차도, 두 숙녀가 공통으로 느끼는 불쾌감이 되기도 하고, 때론 로뇨나 누이 중 하나를 불쾌하게 만들기 때문이다.

만일 저 가련한 유지오가 무덤에서 다시 일어났다 해도, 그는 이제는 조용하고 순종적이며 수줍어하는 청년이 된 나를 알아보지도 못했을 것이다. 그런 내가 영원히 무언가를 들고 다니거나, 무언가를 찾으러 다니거나, 무언가를 이해하지 못하고 있거나 또 몇 분마다 비난이나 듣고 있으니 말이다. 그러고, 이 모습을 내 학급 동료들이 보기라도 한다면!…

어느 날, 클레멘티노 양이 평소보다 더 바빴다. 농장 서기가 그녀가 즐겨가는 정자에서 십여 걸음 떨어진 어떤 곳을 점검하고 있었기 때문이다. 그 틈을 이용하여, 우리 셋은 공원 뒤, 그 관목 덤불로 - 산딸기나무[41]들이 우거진 덤불로 들어갔다.

그곳 산딸기나무들은 엄청 많았다! 발걸음을 옮길 때마다 산딸기 덤불을 만날 수 있고, 그 산딸기나무마다 자두 크기의 큰, 검정 산딸기들이 무성하게 달려 있었다. 처음에 우리는 그 산딸기 열매들을 따면서, 경이로움과 만족감으로 탄성을 서로 내질렀다. 그러나 곧 우리는 침묵하고 각자 다른 방향으로 더 가 보았다. 그 아가씨들은 무엇을 했는지는 모르겠지만, 나는 가장 짙은 덤불 속 깊숙이 들어가니, 바깥세상은 온전히 잊은 듯했다. 그 검정 산딸기들이 얼마나 많은지!… 요즘에는 그런 파인애플도 없다던데.

내가 그렇게 오랫동안 선 채로 산딸기를 따는 것도 지쳤다. - 그래서 나는 풀밭에 앉았다. 앉아서 따는 것도 지쳐, 이제 스프링 달린 안락의자 같은, 그곳의 짙은 풀밭에 누

---

41) * 역주: 산딸기속(학명: Rubus 루부스)은 장미아과의 단형 족인 산딸기족(학명: Roseae 로세아이)에 속하는 유일한 속이다. 학명 "루부스(Rubus)" 어원은 "빨강"을 뜻하는 낱말 라틴어 낱말 ruber이다.

워 보기도 했다. 여기가 너무 따뜻하고 푹신하고, 그 열매도 풍성해, 내 의지와는 달리, 에덴의 낙원이라는 곳도 바로 이런 곳이 아닐까 하는 생각이 번쩍 들었다. 하나님! 하나님! 나는 왜 아담이 아니었을까요? 오늘날까지 저주받은 사과나무에는 사과가 자라고 있으니. 왜냐하면, 이제는 저 위에 사과가 달려 있어도 그 사과를 따려고 머리 저위로 손도 올리고 싶지도 않다… 푹신한 풀밭에서 뜨거운 태양 아래 뱀처럼, 사지를 뻗어 있으니, 형언할 수 없는 행복을 느꼈다. 특히 내가 이젠 아무 생각 없이 지내도 되니. 때로는 몸을 돌려, 머리를 다른 신체 부위보다 더 숙여 보았다. 바람에 흔들리는 나뭇잎이 내 얼굴을 어루만지고, 엄청 넓은 하늘을 바라보며, 불가측의, 헤아릴 수 없는 만족감에 나는, 내가 - 전혀 존재하지 않는다는 생각도 했다. 로뇨, 조뇨, 공원, 점심, 마침내 학교와 감독관 선생님, 그 모두가 내게는 한때 있었지만 이미 지나간 꿈인 것 같았다. 아마도 백 년 전, 어쩌면 천 년 전에도 지나갔을 것이다. 천국에 있는 불쌍한 유지오는 아마 항상 그런 감정을 경험하고 있겠지. 그 친구는 얼마나 행복한지!…

그러자 나는 산딸기를 먹고 싶은 욕구마저도 잃어버렸다. 나는 짙은 풀밭이 나를 얼마나 부드럽게 들어 올려놓고 있는지 느꼈고, 저 푸른 하늘에서 천천히 흘러가는 모든 작은 구름을 보았고, 모든 나뭇잎 소리를 들으면서, 나 자신은 아무것도 생각하지 않았다.

갑자기 뭔가가 나를 뒤흔들었다. 나는 무슨 일이 일어나고 있는지 이해하지 못한 채 자리에서 벌떡 일어났다.

한순간 이전처럼 조용했지만 동시에 나는 로뇨가 울먹이는 소리를 들었다.

- 조뇨!… 클레멘티노 앙! 도와줘요!

아이의 외침 같은 뭔가 공포가 있었다.

- 도와주세요!…

'독사!' 라는 낱말이 내 머릿속을 스쳐 지나갔다.

각시자두나무[42]가 내 옷을 붙들고, 내 발을 엉키게 했고, 꼬집고, 할퀸 채, 아니!.. 그 나무가 살아있는 괴물처럼 나를 붙들고 힘겹게 몸부림쳤다. 하지만 나는 앞으로 달려갔다.

그러는 동안 로뇨가 또 고함을 질렀다.

- 도와주세요!… 하느님, 맙소사!…

그리고 나는 태양처럼 분명한 한 가지만, - 즉, 내가 도와주지 않으면 나 자신이 망할 것 같음을 - 깨달았다.

온몸이 피곤하고, 긁히고, 무엇보다도 - 겁에 질린 채 - 나는 마침내 로뇨가 울먹이는 곳으로 덤불을 뚫고 달려갔다.

- 로뇨!… 네게 무슨 일이야?

나는 먼저 그녀 이름을 불렀다.

---

42) *역주: 블랙손(blackthorn), 가시자두(학명: Prunus spinosa, sloe)는 장미과에 속하는 속씨식물 종이다. 유럽, 아시아 서부에서 자생하며 아프리카 북서부에서 지역적으로 볼 수 있다. 5미터 높이까지 자라는, 가지가 있는 작은 나무이다. 열매는 슬로(sloe)라고 부르며 지름은 10~12밀리미터 핵과이며 적어도 영국에서는 10~11월 첫서리 이후 가을에 익으면 수확하는 것이 보통이다.

- 말벌!… 말벌!…

- 말벌이라고?…

내가 그녀 앞으로 펄쩍 뛰어가 반복했다.

- 물렸어?…

- 아직은 아니야, 하지만…

- 그럼 그게 어쨌다고?…

- 내 몸에 기어다니고 있어…

- 어디?…

그녀 눈에서 눈물이 흘러내렸다. 그녀는 매우 부끄러워했다. 하지만, 공포감이 더 컸던가?

- 내 양말에 들어갔어… 맙소사… 맙소사… 조뇨!…

나는 그녀 옆에서 무릎을 꿇었지만, 여전히 감히 말벌을 찾을 용기가 나지 않았다. 나는 말했다.

- 이제 내가 잡을게.

- 하지만 난 두려워. 아, 하나님!…

로뇨는 열이 난 듯 몸을 떨고 있었다. 나는 다시 용기를 겨우 내어 말했다.

- 그게 어디 있어?

- 이제 내 무릎 위에서 기어 다녀…

- 여기도, 거기도 없어.

- 벌써 더 높이 올라왔어. 아! 조뇨… 조뇨, 어딨어!…

- 그런데 여기도 없어…

로뇨는 자신의 손으로 두 눈을 가렸다.

- 옷 밑으로 들어가 있는 것 같아…

그녀는 엉-엉 울면서 말했다.

- 그 벌레, 찾았다구!…

나는 외쳤다.

- 이건 파리라구…

로뇨가 물었다.

- 어디?… 파리라고?… 정말, 파리네! 아, 그런데 얼마나 이 파리가 큰지… 나는 말벌인 줄 알았어. 죽는 줄 알았거든… 맙소사! 내가 얼마나 어리석은가.

그녀는 자신의 두 눈에서 눈물을 닦고, 즉시 웃기 시작했다.

- 죽여, 아니면, 풀어 줘?

나는 로뇨에게 그 불쌍한 곤충을 보여주면서 물었다.

- 네 맘대로 해!

그녀는 이제 아주 침착하게 대답했다.

파리를 죽이고 싶었지만, 그게 불쌍했다. 그리고 그 작은 날개도 그 녀석 자체처럼, 너무 구겨져 있기에, 내가 조심스럽게 그 파리를 나뭇잎 위에 올려놓았다.

그러는 사이, 로뇨가 나를, 놀란 듯이, 주의 깊게 바라보았다.

- 카지오, 네가 왜 저래?…

갑자기 그녀가 물었다.

- 아무것도 아냐. 뭔가 내게 불행이 닥쳤구나 하는 생각만 들어.

그런데 내게서 갑자기 힘이 빠져나가는 느낌이 들었다.

내 심장이 종소리처럼 뛰고, 내 두 눈이 어두워지고, 온몸에 식은땀이 흘렀다. 내가 퍽 주저앉고 - 비틀거렸다.

- 무슨 일이야, 카지오?…

- 아무 것도… 그냥 네게 무슨 불행이 닥친 줄만 알았지…

로뇨가 나를 붙잡지 않았다면, 또 내 머리가 그녀 무릎에 닿지 않았다면, 내 코가 땅에 처박혔을 것이다.

무슨 따뜻한 물결이 내 머리를 강타했고, 내 귀에서 소음이 들리기 시작했고, 다시 한번 로뇨 목소리가 들렸다.

- 카지오!… 사랑하는 카지오… 무슨 일이야?… 조뇨!… 맙소사, 카지오가 기절했네… 내가 여기서 지금 뭘 해야 해, 불쌍한 내가?…

그녀는 자신의 두 손으로 내 머리를 잡고 키스하기 시작했다. 나는 그녀 눈물이 내 얼굴 전체로 떨어지는 것을 느꼈다. 나는 그녀가 너무 불쌍해 보였다. 나는 내게 남은 온 힘을 모아 힘들게 일어나며, 정신을 차렸다.

- 이제 괜찮아!… 걱정하지 마!

나는 내 가슴 저 깊은 곳에서 소리쳤다.

실제로 내게 찾아온 순간적 어지름은, 그것이 찾아온 때의 일순간처럼, 떠나갈 때도 순식간에 지나갔다.

귀에서 울리는 소리가 멈추고 시야가 맑아졌다.

나는 로뇨 무릎에서 고개를 들어 올려, 그녀 눈을 바라보며 웃었다.

이제 그녀도 웃기 시작했다.

- 아, 너는 무심한 사람이야, 나쁜 사람이야! 네가 어떻게 나를 이렇게 놀라게 해!

그녀가 말했다.

- 어떻게 그런 사소한 일로 기절할 수 있어?… 그것이 말벌이었다 해도, 결국 그게 나를 물지 않았을 거야… 그런데 내가 여기서 너를 위해 뭘 할 수 있겠어?… 물도 없고 사람도 없는데. 조뇨는 어디론가 가고 보이지도 않는데, 나 혼자 이리 큰 소년 목숨을 구해야 했거든. 넌 부끄러움을 좀 느껴!

물론 나는 부끄러웠다. 그렇게 겁을 줄 이유가 있었을까?

로뇨가 물었다.

- 그런데, 넌 지금은 좀 어때? 어찌 되었든! 이제 괜찮을 거야. 이젠 창백함은 없구나. 좀 전에는 넌 리넨처럼 창백해 있었거든.

그녀가 잠시 뒤 말을 이었다.

- 글쎄, 엄마가 오늘 일을 아시면, 나도 예뻐 하실 거야!…아, 하나님! 하지만, 집에 들어가기가 두렵네…

내가 물었다.

- 어머니께 뭐라고 말씀드릴 거야?

- 모든 것, 무엇보다도 최악은 그 말벌 일이거든…

- 그 이야기는 아무에게도 말하지 마.

- 내가 말하지 않으면 아무것도 도움이 되지 않을 거야…

그녀는 고개를 돌리며 말했다.

내가 대답했다.

- 아마 내가 이렇게 말할 거라고 생각하겠지만… 내가 아버지를 사랑하는 만큼, 누구에게도, 아무 말도 하지 않겠어.

- 그럼, 조뇨에게는?…

그녀는 비밀을 잘 유지할 사람이거든.

- 조뇨에게도 마찬가지야. 누구에게도.

- 그래도 다들 나중에는 알게 될 거야. 너는 너무 긁혔어, 긁혔어… 그런데, 잠깐!

그녀는 잠시 후 덧붙이고는, 내 얼굴을 손수건으로 닦아 주었다.

- 맙소사! 내가 좀 전엔 무엇을 해야 할지 모르고, 겁도 나서 네게 키스까지 했다는 것 넌 알아? 누군가가 알게 된다면 창피해. 하지만 실제로 말벌 일에도 슬픔은 있었거든. 아! 내가 너 때문에 얼마나 슬퍼하고 있는지…

- 하지만 아무것도 두려워할 이유가 없어.

나는 그녀를 위로했다.

- 그럼, 이젠 없지. 네 머리카락에 나뭇잎이 너무 많아, 모든 것이 드러날 거야. 그런데 잠깐만. 내가 빗질해 줄게. 나는 조뇨가 덤불 뒤에서 우리를 엿보지 않았을까 두려워. 그녀는 비밀을 잘 지켜 줄 것이지만, 어쨌든…

로뇨는 자신의 머리에서 반원형 빗을 꺼내 내 머리카락을 빗기 시작했다. 그녀가 말했다.

- 네 머리가 너무 헝클어져 있네. 너도 신사들처럼 머리를 단정하게 해야지. 여기서는 이렇게 해. 머리카락의 가리마를 왼쪽이 아닌 오른쪽으로 하거든. 검은 머리였으면 우리 엄마 약혼자만큼 잘생겼을 텐데. 하지만 넌 금발이니까 다른 방법으로 빗겨 줄게. 이제 너는 마돈나 아래에 그려진 작은 천사처럼 보이네. 이제 네 모습이 어떤지 알겠어? 아쉽게도 거울이 없네.

- 카지오! 로뇨!…

이 순간, 공원 옆 어딘가에서 조뇨가 우리를 부르는 소리가 들려왔다.

우리 둘 다 그 자리서 일어났는데, 로뇨는 정말 무서워했다.

- 모든 게 다 알려지겠네!

그녀가 말했다.

- 오! 그 말벌!.. 또 네가 기절한 건 최악이었거든…

- 아무것도 알려지지 않아!

나는 힘차게 반박했다.

- 아무 말도 하지 않으면.

- 나도 마찬가지야. 기절했다는 말도 안 할 거지?…

- 물론.

- 그건, 그건!…

로뇨는 놀랐다.

- 내가 기절하면 내가 견딜 수 없을 것 같아서지…

- 카지오! 로뇨!…

이미 우리에게서 몇 걸음 떨어진 곳에 있는 내 여동생이 불렀다.

- 카지오!

로뇨는 자신의 손가락을 내 입가에 대고 속삭였다.

- 두려워하지 마.

덤불이 바스락거리고 앞치마를 새로 챙겨 입은 조뇨 모습이 보였다.

- 어디 있었어, 조뇨?

우리 둘이 동시에 물었다.

- 나, 또 너, 로뇨를 위해 앞치마를 가지러 갔지. 자, 이 앞치마 입어. 산딸기 열매로 네 옷에 얼룩이 남으면 안 되니.

- 서둘러 집에 돌아갈까?…

누이 조뇨가 말했다.

- 별일 없다던데. 그 신사분은 어머님과 함께 계시고, 클레멘티노 양은 그 정자에서 떠날 생각조차 하지 않거든. 우리는 저녁까지 여기 앉아 있을 수 있어. 그런데 네가 나보다 산딸기를 더 많이 먹던데. 나는 이제 산딸기 열매 따는 것, 시작이거든.

그 두 사람은 다시 열매를 따기 시작했고, 나도 다시 식욕을 느꼈다.

내가 멀어지는 것을 보고, 로뇨가 내 뒤에서 외쳤다. - 카지오! 내가 무슨 생각하는지 넌 알잖아….

그리고 그녀는 손가락을 들어 흔들며 나를 위협했다.

지금 이 순간, 나는 내 어지러움으로 실신한 사실이나 그 파리에 대해 아무에게도 말하지 않겠다고 스스로 몇 번이나 다짐했는지 모르겠다.

그러나 내가 간신히 몇 걸음을 떼려는데, 로뇨 목소리가 다시 들려왔다.

- 조뇨, 여기서 무슨 일이 일어났는지 알면?… 하지만 아니, 난 한마디조차도 할 수 없거든. 하지만, 네가 비밀을 지키겠다고 약속하면…

나는 부끄러움을 느끼며 최대한 수풀 속으로 달려갔다.

그래, 조뇨가 어떤 이야기를 듣고 올지…

우리는 그 치명적인 산딸기나무 앞에서 한 시간 정도 시간을 더 보냈다. 그곳에서 집으로 돌아왔을 때, 나는 상황에 큰 변화가 있음을 깨달았다. 조뇨가 공포와 호기심이 담긴 표정으로 나를 바라보았다. 로뇨는 나를 전혀 쳐다보지 않아, 나는 마치 범죄를 저지른 것처럼 혼란스러웠지만, 거기에 있었다.

로뇨는 당일 우리와 작별인사하면서, 조뇨에게 또 내게 진심으로 키스했고 - 그녀는 고개를 가로저었다. 나는 그녀 앞에서 내가 큰 악당이라고 생각하면서 내 모자를 벗어 인사했다.

로뇨가 떠나자, 조뇨가 나를 비난하기 시작했다.

- 그 재미난 이야기를 내가 전부 알게 되었거든!

누이가 진지하게 말했다.

- 그래 내가 뭘 어찌했는데? 나는 정말 무서워 물었다.

- 그게 뭐라더라? 첫째로 네가 기절했다고 하던네. 오! 맙소사, 그리고 그때 내가 네 곁에 없었으니… 그러고 그 말벌이나 파리는… 끔찍해… 불쌍한 로뇨! 난 부끄러워 죽고 싶었거든.

- 그런데 내가 그 일로 어떻게 비난을 받아야 해? -내가 감히 물었다.

- 나의 동생 카지오야.

그녀는 반박했다.

- 너는 내 앞에서 변명할 필요 없어. 왜냐하면, 네게 아무 비난할 게 없거든. 하지만 어쨌든….

"하지만 어쨌든" … 여기에 답이 있다!… "어쨌든", 이 "어쨌든"에서 내가 모든 문제에 책임이 있는 유일한 사람이라는 것이 밝혀졌다. 파리는 - 별거 아니었다, 도움을 청한 로뇨도 - 별거 아니다. 그녀를 구하기 위해 달려온 책임이- 나에게만 있었다.

그렇긴 한데 왜 내가 기절했을까?…

나는 위로받을 수도 없었다. 그다음 날 나는 로뇨에게 내 모습을 보여주지 않으려고 공원에 전혀 가지도 않았다. 셋째 날, -그녀는 나에게 나오라고 직접 명령했다. 내가 가니, 그녀는 멀리서 나를 보고 고개를 내저으며, 조뇨에게만 말을 걸고, 때때로 범죄자를 보는 것처럼 나를 보기도 하고, 때로는 자랑스럽게, 때로는 슬프게 나를 보았다.

여기서 나는 뭔가 부당하다는 생각이 든 순간이 있었다. 하지만 얼마 지나지 않아 나는 내가 정말 끔찍한 일을 저

질렀다고 자책하면서, 비슷한 의심을 떨쳐 버렸다. 그런 방식이 여성 논리의 특징적 성향이라는 것을 그때는 몰랐다.

그러면서, 그 아가씨들은 줄넘기 놀이를 즐길 생각은 없이, 서로 소곤대며 진지한 발걸음으로 정원을 걸었다.

갑자기 로뇨가 멈춰 서서, 고통스러운 목소리로 말했다.

- 조뇨야, 내가 유럽블루베리[43] 맛을 본 게 새삼 기억나, 너 아니? … 나도 그 맛 다시 느껴보고 싶어…

내가 빠르게 응수했다.

- 바로 따오면 되지. 숲속에 그 유럽블루베리, 많이 나는 곳을 내가 알아.

- 네가 해 보겠다고?…

로뇨가 우울하게 나를 살펴보며 말했다.

- 뭐가 방해되겠어? 동생이 저렇게 원하니, 동생이 직접 가야지.

누이 조뇨가 끼어들었다.

나는 정원에서 그 두 사람의 그만큼의 입맛 다심이라는 강압적 분위기를 느꼈기에 더 서둘러 갔다. 내가 그 궁전 주방을 지나가자, 하녀 아가씨들이 웃는 소리가 들렸고, 무심결에 판자 울타리를 통해 보니, 그들이 기분 좋게 줄넘기하고 있는 것이 보였다. 그네들은 내가 있을 때만 그렇게 엄숙한 표정을 짓고 있었나 보나.

---

43) 유럽블루베리(Vaccinium myrtillus 바키니움 미르틸루스)는 흔히 빌베리, 홀틀베리로 불리는 파란빛깔로 된 식용 과일의 관목종이다. 블루베리(Vaccinium cyanococcus)와 많은 공통점이 있다.

주방에서는 지독한 소란이 들렸다. 발치오 어머니가 울면서 욕하였고, 늙은 살로메오는 발치오가 접시 하나를 깨뜨렸다고 발치오 어머니를 나무라고 있었다.

- 내가 그 녀석, 악동 같은 그 녀석에게 접시를 주면서 남은 음식 핥아 먹으라 했는데, 그, 멍청한 녀석이, 이 접시를 제대로 핥지도 않고 바닥에 떨어뜨리고는 내빼버렸네. 아, 오늘 그 녀석을 죽도록 때려주지 못하면, 그녀석 손모가지라도 분질러 놓을 테다…

그리고 그 발치오 어머니는 이렇게 외쳤다.

- 발치오!.. 빨리 와, 빌어먹을 놈,…어서 오지 않으면, 가죽을 벗겨버릴 테다…

나는 그 소년이 불쌍함을 느꼈고 어떻게든 이 문제를 해결하는데 도와주고 싶었다. 그러나 나는 즉시 생각하길, 내가 숲에서 돌아온 뒤, 그때 내가 도와줘도 되겠다고 생각하였다. 왜냐하면, 발치오는 정말 저녁이 되어야 이 주방으로 돌아올 것이기에, - 그래서 - 나는 내가 가는 숲 방향으로 계속 나아갔다.

그 숲은 우리 농장에서 30분 정도는 걸어야 닿을 수 있는 거리에, 어쩌면 더 먼 거리에 있을 수 있다. 숲에는 참나무, 소나무, 개암나무가 많이 자라고 있다. 그리고 딸기와 유럽블루베리는 누구나 딸 수 있을 정도로 많다. 목동들이 숲 가장자리의 그 열매들을 조금씩 솎아내도, 숲속 깊은 곳에서는 그 열매들은 더 많이 남아 있고, 우리 농장 마당만큼이나 넓은 땅을 차지하고 자라고 있다.

유럽 블루베리가 자라는 구역에 들어가, 나는 그 많은 열매를 따, 모자 전체와 손수건 전체를 채웠다. 하지만, 서둘러야 했기에 나 자신은 조금만 먹을 수 있었다. 그래도 그렇게 딴 수확물을 채우기도 전에 한 시간이 훌쩍 지났기에, 나는 귀가해야 했다.

나는 곧장 돌아오는 대신, 귀갓길을 좀 천천히 오게 되었다.

숲속 산책이 나를 그만큼 유혹했기 때문이다.

만일 여러분이 숲에 들어가면, 나무들이 여러분에게 공간을 만들어 주듯이 길을 내어 준다. 하지만, 앞으로 나아가면서, 여러분이 고개를 한번 둘러보면, 나무들이 스스로 손을 내밀 듯이 가지를 내밀어 준다. 나무둥치들은 또 다른 나무둥치로 다가가는 것 같다. 나중에 그 나무들은 서로 맞닿은 듯하지만, 여러분은, 여러분 뒤에, 다채로운 색깔의 벽이, 깊고도 틈입할 수 없는 벽이 자라고 있음을 아직은 알아차리지 못할 것이다…

그때, 길을 잃기가 십상이다. 여러분이 움직이는 곳은 어디든 똑같고, 모든 곳에서 나무들이 여러분 앞에서 갈라지다가, 여러분 뒤에서 합쳐진다. 여러분이 달리기 시작하면, 그 나무들도 항상 여러분 뒤로 달려가, 여러분이 돌아가는 길을 막을 뿐이다. 여러분이 그 자리에 서면- 그 나무도 함께 멈추고, 지쳐, 마치 부채로 그 나무 자신의 더위를 식힌다. 여러분이 길을 찾으려고, 고개를 오른쪽으로 또 왼쪽으로 돌리면, 몇 그루 나무가 다른 나무들 뒤로 자신의 몸을 숨기고, 마치 그 나무들은 여러분이 생각하는 것보다는 조금 적다고 보이게끔 하려고 한다.

하지만, 숲은 정말 위험하다. 여러분이 가는 곳마다 모든 새가 염탐한다. 모든 풀잎은 여러분의 발 주위를 얽히게 하고 싶다. 하지만 그렇게 할 수는 없다. 적어도 풀잎의 나부끼는 소리를 통해 다른 풀잎이 있음을 여러분에게 알려 준다.

필시 숲은 그렇게 사람 얼굴을 그리워하고, 그 사람 얼굴을 한 번 보면, 그 숲은 언제나 여러분을 영원히 그곳에 가둬두려고 온갖 재주를 부린다.

내가 숲에서 들판으로 나왔을 때는 이미 해가 지고 있었다. 몇 걸음 떨어진 곳에서 나는 발치오를 만났다. 그는 숲으로 곧장 서둘러 걸어오면서, 장대로 자신의 몸을 의지하고 있었다.

- 어딜 가?

나는 그에게 물었다.

그는 나에게서 달아나지 않았다. 그는 멈춰 서서, 자신의 노랗고 작은 손으로 숲을 가리키며 낮은 소리로 답했다.

- 저리! 저리로!..

- 이제 곧 어두워질 테니 집에 돌아가자!

- 그런데 엄마가 나를 몹시 때릴 거야.

- 나와 함께 가자. 그러면 널 때리지 않을 거야.

- 아, 그래도 때릴 거야…

- 그래도 가자, 엄마가 네게 아무런 행동을 하지 않을 걸 넌 보게 될 거야.

나는 그에게 더 가까이 다가가며 말했다.

그 소년은 조금 뒤로 갔지만, 도망치지 않고 망설이는 것 같았다.

- 그래, 이제 가자…

- 하지만 난 겁이 나…

내가 다시 가까이 다가가자, 그는 다시 한 걸음 뒤로 물러섰다. 누더기옷을 입은 소년의 머뭇거림과 뒷걸음질이 나를 초조하게 만들었다.

저기서 로뇨가 이 열매를 따오기만 기다리고 있다. 그런데도 그는 되돌아감에 대해 나와 실랑이만 벌이고 있다…

나는 이를 받아 줄 시간이 없다.

나는 서둘러 우리 농장 건물로 출발했다.

집에 반쯤 왔을 때 내가 고개를 돌려보니, 발치오가 숲 근처 언덕에 서서, 손에 장대를 들고 나를 바라보고 있었다. 바람에 그의 회색 셔츠가 일렁이고 있다. 반쯤 찢어진 모자가 지는 햇빛을 받아, 불의 화관처럼 그의 머리 위에 빛났다.

뭔가 내 관심을 끌었다. 나는 농장 하인들이 그에게 장대를 들고 세상으로 나가 보라고 부추긴 것을 기억했다. 실제로 그리하려는 걸까?… 아니다. 그 소년은 그렇게 경솔한 사람은 아니다.

더구나 내가 따온 열매가 뭉개지고, 로뇨가 거기서 기다리고 있기에 나는 그를 데리러 돌아갈 시간이 없다…

달려서 나는 집에 도착했고, 따온 열매를 어서 바구니에 붓고 싶었다. 문턱에서 조뇨 누이가 감미로운 울먹임으로 나에게 인사했다.

- 그게 뭐야?…

- 불행한 일이 생겼어.

누이가 중얼거렸다.

- 모든 것이 분명해졌어. 아빠가 그 백작 부인 댁의 일자리를 잃었대.

내 모자와 손수건에서 열매가 흘러내렸다. 나는 누이 손을 잡았다.

- 조뇨 누이, 무슨 말을 하는 거야?… 무슨 일이 있었던 거야?…

- 그래. 아빠가 일자리를 잃으셨대. 또 로뇨가 그 여성 가정교사에게 그 말벌 이야기를 비밀리에 했고, 그 여선생님이 그 부인께 말씀드렸다네….

- 아버지가 궁전에 들어섰을 때, 그 백작 부인은 지체없이 너를 시에들체로 보내라고 명을 내렸대. 하지만 아버지는 '우리 모두 함께 떠날 거야' 라고 말씀드렸대.

그녀는 몹시 울기 시작했다.

이때, 나는 마당에 계시는 아버지를 보았다. 나는 아버지를 만나러 달려갔고, 아버지 발 앞에 가쁜 숨을 한 채 무릎을 꿇었다.

- 사랑하는 아버지, 제가 무슨 짓을 한 걸까요?

나는 아버지 무릎을 끌어안고 중얼거렸다.

아버지는 나를 들어 올리고, 고개를 저으며 짧게 말했다.

- 멍청한 놈, 집에 가 있어!

그리고는 아버지는 마치 자신에게 하는 것처럼 말했다.

- 우리를 여기서 몰아낸 이는 또 다른 새 주인이야. 그 새 주인은 이 늙은 전권대리인이, 우연한 게임에서, 고립무원인 그 부인 재산을 잃게 되는 것을 그 새 주인은 허락하지 않을 생각이었다네. 그리고 그 새 주인이 한 말은 맞았어!

나는 아빠가 지금 우리 백작 부인의 약혼자 이야기를 하고 있다고 추측했다. 내 마음이 한결 가벼워졌다. 나는 아버지의 거친 손에 뽀뽀하고는, 조금 더 용기 있게 말을 하기 시작했다.

- 왜냐면, 아빠, 우리는 산딸기 열매 따러 갔거든요. 로냐가 말벌에 쏘일 뻔한 적이 있었거든요…

- 넌, 말벌만큼 어리석네. 아가씨들과도 친하게 지내지 마. 그러면 말벌도 너를 쫓아다니지 않을 거고, 작은 호수에 빠져 바지 찢는 일이란 없어. 집에 들어가, 그네들 모두가 떠나기 전에, 문밖으로 나오지 마라.

- 그 아가씨들도 떠나나요?…

나는 겨우 힘을 내어 말했다.

- 그분들은 며칠 후 바르샤바로 여행을 떠나실 거야. 우리가 떠가고 나면, 그분들은 돌아오실 거야.

우울하게 저녁이 지나갔다. 저녁에는 우유를 곁들인 훌

릉한 호밀빵이 있었지만, 우리 중 누구도 그것을 먹지 않았다. 로뇨는 울어 붉어진 눈을 닦고, 나는 필사적 궁리를 했다.

잠자리에 들기 전, 나는 조용히 누이의 방으로 들어갔다.

- 누이 로뇨.

나는 누이에게 단호하게 말했다.

- 나는… 로뇨, 그 소녀와 결혼할 거야!…

누이는 겁에 질려 나를 바라보았다.

- 언제?

그녀가 물었다.

- 언제든 상관없어.

- 하지만 본당신부님은 너를 그 아이에게 결혼시키지 않을 거야. 또 나중에 로뇨는 바르샤바에 가고, 너는 시에들체로 가 있을 건데… 게다가 아빠나 그 부인께서 뭐라 말씀하시겠어?…

- 누이가 나를 돕고 싶지 않다는 걸 알아.

나는 누이에게 그렇게 답하고, "잘 자" 라는 작별 키스도 하지 않은 채, 그 방을 나왔다.

나는 그때부터 아무것도 기억하지 못한다. 낮과 밤이 지났고 나는 항상 침대에 누워 있었고 그 침대 곁에 내 여동생이나, 노마님 보이츠예코바, 때로는 하급 외과 의사가 앉았다. 그들이 나에게 말하는 것인지, 아니면, 이미 떠나버린 로뇨 꿈을, 또 어딘가로 사라진 발치오 꿈을 꾸고 있는지 몰랐다. 때로, 내 위에서 눈물로 얼룩진 꽃병담당 하녀 얼굴을 본 것 같기도 하였다. 그녀는 흐느끼며 이렇게 물었다.

- 공자님, 발치오는 어디서 본 적이 있나요?…

- 내가요?… 발치오를요…

나는 아무것도 이해하지 못했다. 하지만 나는 숲에서 열매를 따고 있었고, 발치오가 모든 나무 뒤에서 나를 지켜보고 있다고 상상이 되었다.

내가 그를 불렀더니, 그는 달아났다. - 나는 그를 쫓아갔지만, 그를 잡을 수 없었다. 인목나무 관목들이 나를 붙잡고, 유럽 블루베리 나무덤불이 내 발을 엉키게 했고, 나무들이 춤추고 있었다. 이끼로 덮인 나무둥치 사이로 그 소년의 작은 셔츠가 빠르게 빠져나갔다.

때로는 내가 발치오 자신이 되는 꿈을 꾸기도 했고, 때로는 발치오와 로뇨와 내가 한 사람으로 뭉쳐 있는 꿈을 꾸기도 했다.

이때 나는 항상 숲이나 무성한 덤불을 보았다.

누군가 항상 나에게 도와달라는 요청했고 나는 그 자리에서 움직일 수 없었다.

끔찍하게도, 내가 얼마나 고통 속에 있었는지.

. . . .

그렇게 몇 날 며칠 아팠던 내가 침대에서 일어날 수 있었을 때는, 이미 방학이 끝나고, 우리 학생들은 등교해야 했다. 나는 여전히 며칠 더 집에만 있고, 이 집을 떠나기 전날에서야, 저녁에 힘들게 마당에 나와 볼 수 있었다.

궁전 창문은 모두 커튼으로 가려져 있었다. 그럼, 그분들은 정말 떠났는가?…

나는 발치오를 잠깐이라도 보고 싶어 주방 옆으로 가 보았다. 발치오는 그곳에 없었다. 나는 그 소년에 대해 마을의 어느 소녀에게 물어보았다.

그 소녀의 답은 이러했다.

- 오! 공자님, 발치오는 이미 여기에 없어요…

나는 더는 물어보기가 두려워 공원에 가 보았다. 맙소사, 이곳이 얼마나 우울하게 변해 버렸는지… 아무 생각 없이 나는 얼마 전 내린 비로 젖은 산책로에서 방황하고 있었다. 풀은 노랗게 변해 있고, 호수는 여전히 식물들이 무성하게 덮여있고, 보트에는 물이 가득 고여 있었다. 주요 도로 곳곳에 어둠이 반사되는 큰 빗물 고인 웅덩이가 있었다. 땅은 검고, 나무 둥치도 검다. 나뭇가지들은 저 아래로 처진 채 나뭇잎들이 시들고 있었다.

우울한 기분이 내 영혼을 짓누르고, 영혼 저 깊은 곳에서 때때로 무슨 그림자가 보였다. 그 그림자는 유지오가 되었다가 로뇨가 되었다가 나중에는 발치오가 되었다.

갑자기 바람이 불기 시작했고, 나무 꼭대기가 바스락거리기 시작했고, 흔들리는 나뭇가지에서 눈물처럼 큰 물방울이 떨어지기 시작했다. 하나님은 나무들이 우는 것을 보고 계셨다. 나 때문인지, 친구들 때문인지는 몰라도 분명

나무들도 - 나와 함께 - 울고 있었다…

내가 공원에서 나왔을 때는 어두워졌다. 주방에서 하인들이 저녁을 먹고 있었다. 주방 뒤 들판에서 나는 어느 여인의 모습을 보았다.

밝은 띠의, 작은 구름 여럿 사이로 떨어지는 희미한 빛을 통해 나는 그 여인이 그 꽃병담당 하녀임을 알아차렸다.

그 여인은 숲을 바라보며 중얼거렸다.

- 발치오!… 발치오!… 어서 집으로 돌아 와… 아, 네가 나를 얼마나 더 괴롭히려고 그래, 이 바보 멍청아…

내 심장이 터질 것 같아, 나는 집으로 달렸다.(*)

역자 후기

나의 살던 고향은 꽃피는 산골
복숭아꽃 살구꽃 아기 진달래
울긋불긋 꽃대궐 차리인 동네
그 속에서 놀던 때가 그립습니다.

꽃 동네 새 동네 나의 옛고향
파란들 남쪽에서 바람이 불면
냇가에 수양버들 춤추는 동네
그 속에서 놀던 때가 그립습니다.

My hometown is a flower garden,
Peaches, apricots and azaleas,
Beautiful and pretty is my hometown
Now I miss there, my hometown.

My native place is a flower garden
When a south wind blows from green field,
Willows dance by the stream
Now I miss there, my native place.

Mia hejmvilaĝo estas flora ĝarden'
Persikoj, aprikotoj, etaj azaleoj.

Belaj kaj plenkoloraj floroj
Mi sopiras ludi en tiu flora ĝarden'.

Floroj, novaj floroj, mia malnova loko
Kiam suda vento blovas de verda kamparo
Salikoj dancas apud rivereto
Mi sopiras ludi en malnova flora loko.

-이원수 작사, 홍난파 작곡 "고향의 봄" 동요 (1926년)

경남 창원시 소답동 시절에 이원수 선생님은 이 시를 지었나 봅니다. 이 시를 서툰 영어와 에스페란토로 역자가 한 번 옮겨 보았습니다.

옛 시절이 그립습니다.

그 소답동에서 버스로 약 30분 정도 가면, 내가 태어난 내곡리 현천 부락 도사터가 나옵니다. 이 도사터 근처에서 조선 초기의 정렬공 최윤덕(1376-1445) 장군이 태어났다고 합니다. 창원시 <이원수문학관>을 방문하면, 이원수 선생님을 좀 더 잘 알 수 있습니다.

<정렬공 최윤덕 장군> 유적지는 창원시 의창구 대산리에 정렬공 묘역이 있습니다. 2022년 <최윤덕도서관>도 창원에 설립되었습니다.

『개구쟁이 카지오』를 읽으면서, 지난 3월을 보냈습니다. 3월은 신학기가 시작되는 시점입니다. 역자인 내게도

어린 시절이 있었습니다.

온천초등학교 입학식 날이었나 봅니다.

키가 작던 한 아이는 소극적이고, 조용하고, 말이 없었습니다. 어머님이 나를 데리고 가셨다고 합니다. 가물가물하지만, 그날 초등학교 교장 선생님을 뵈었다고 합니다. 어머니의 친척이 교장 선생님이셨다고 합니다. 그 시절은 어머니 기억 속에 있었나 봅니다.

집에서 십리 길을 걸어, 창원 의창구 온천초등학교에 다녔습니다. 봄에는 보리밭길을 보며 걸었고, 여름에는 비를 맞으며 걸었습니다. 여름 방학이 오면, 아버지 일손을 돕는 아이였습니다. 소를 먹이러 뒷동산에 가기도 했습니다. 산속 개울물에서 가재도 잡아 보고, 개울 물길을 아래위로, 어깨동무 여럿이 물길을 막는 보를 만들어 물길을 막는 놀이도 했습니다. 소에게 풀을 먹이러 산으로 가는 어깨동무들을 생각하며, 나는 교과서를 펴놓은 때가 더 많았나 봅니다. 가을엔 누런 들판에서 벼를 수확하는 가족을 돕기도 하고, 겨울에는 깊이 묻어둔 고구마를 꺼내려고 땅속을 헤집기도 했습니다.

다시 해가 바뀌고, 진달래가 피고, 개울가 버들로 버들피리를 만들 때가 봄인가 봅니다. 주전자에 물을 담아, 논밭에서 일하는 어른들을 위해 중참 그릇들을 들고 가는 아이이기도 했습니다.

당시의 초등학교 동기들은 졸업해, 나중에 초중등학교

교사가 되고, 대학 강단에 서기도 하고, 수의사가 되고, 공무원이 되고, 배를 짓고, 비행기 만드는 전문가가 되기도 하고, 대를 이어 농업과 축산업 전문가로 성장했습니다.

고향 마을의 여학생 어깨동무들은 가정을 이뤄, 자신의 직업을 바탕으로 사회인으로 성장하면서, 자신의 가정의 손자녀를 돌보는 나이가 되었습니다. 그이들도 지난날 어린 시절의 삶을 바탕으로 오늘을 살아가고 있겠지요? 그이들도 두루 건강하고 행복한 시절이 되기를 빌어 봅니다.

반세기가 지나, 초등학교 동문회 행사에 참석한다는 핑계로 어린 시절에 뛰놀았던 교정을 한번 둘러 보았습니다. 당시의 한 학년은 3반으로 구성되고 약 150여 명은 되었을 것으로 추정합니다. 요즘 모교의 총학생 수가 130여 명밖에 안 된다고 합니다. 한 학년생이 20여 명 되는 것 같습니다. 교정의 12그루 소나무는 아름드리 또 가지가 무성하게 뻗어 있었습니다. 동문회에 인사차 오신 인자하신 교장 선생님도 먼발치에서 뵙게 되었습니다.

그래서 초등학교 동기 모임은 중요한가 봅니다.

독자 여러분도 어린 시절의 추억을 공유하고 싶다면, 초등학교 어깨동무들을 찾아, 그들과 대화하며, 함께 시간을 보내면서 지난날을 되돌아보는 것도 오늘의 힘든 현실을 견디어내고 더 나은 내일을 위한 힘이 되지 않을까요?

이 한 편의 번역작품이 여러 독자의 어린 시절로 시간을 되돌리는 여행 기차에 탑승하게 할까요?

혹시 어린 시절 이야기를 함께 나누거나, 독자의 감상을 적어 역자와 함께 나누시려는 분들이 있다면 이메일 <suflora@daum. net>로 보내주시면, 기꺼이 읽겠습니다.

역자의 번역 작업을 옆에서 묵묵히 지켜주는 가족에게 감사하며, B 프루스 작가의 작품을 -『비전 & 정장 조끼』에 이어- 소개하는 진달래 출판사에도 고마움을 전합니다.

2024년 5월 5일
어린이날을 되새기며
역자

편집실에서

철쭉이 만개한 5월에도 4권의 책을 동시에 출간합니다. 120권째 책은 **볼레스와프 프루스**의 소설을 에스페란토 초창기 번역가로 활동한 안토니 그라보브스키의 번역에 장정렬 선생님의 우리말 번역으로 묶어서 발간합니다.

볼레스와프 프루스 (본명: 알렉산더 그오바츠키, 1847 - 1912)는 폴란드의 소설가이자 폴란드 문학과 철학사에서 선도적인 인물이었습니다.

『개구쟁이 카지오』 이 작품은 <Kurier Warszawski>(1883년 4월 25일 - 5월 12일)에 처음 발표되었다고 합니다. 에스페란토 번역은 1913년에 있었습니다.

작품의 주인공이자 화자는 궁전 관리의 아들인 카지오 레스니에브스키(Kazio Leśniewski)입니다. 어린 시절에 약간 순진한 방식으로 세상을 바라보며 당시 관습과 사회에 대한 많은 흥미로운 관찰을 보여줍니다.

작품은 3부분으로 구성됩니다. 첫 번째, 주인공의 시골 어린 시절 추억입니다. 두 번째, 가난하고 아픈 친구 척추장애인과의 학교생활과 우정입니다. 세 번째, 백작 부인의 변덕스런 딸 로뇨에 대한 순진한 사랑 이야기입니다.

이번에 진달래 출판사에서 『개구쟁이 카지오』를 어느 정도 실력 있는 에스페란티스토를 대상으로 하여 에스페란토 전문을 싣고 한글 전체 역본으로 소개합니다.

이 책을 통해 에스페란토 학습에도 도움이 되길 바랍니다.

특히 어린이날 출간을 위해 2달간 이 작품을 번역하느라 수고하신 장정렬 선생님의 노고에 감사를 드리며 우리 주위에 더 많은 번역가가 나오길 소망합니다.

- 진달래 출판사 대표 오태영

【 진달래 출판사 간행목록 】

율리안 모데스트의 에스페란토 원작 소설
- 에한대역본
『바다별』(단편 소설집, 오태영 옮김)
『사랑과 증오』(추리 소설, 오태영 옮김)
『꿈의 사냥꾼』(단편 소설집, 오태영 옮김)
『내 목소리를 잊지 마세요』(애정 소설, 오태영 옮김)
『살인경고』(추리소설, 오태영 옮김)
『상어와 함께 춤을』(단편 소설집, 오태영 옮김)
『수수께끼의 보물』(청소년 모험소설, 오태영 옮김)
『고요한 아침』(추리소설, 오태영 옮김)
『공원에서의 살인』(추리소설, 오태영 옮김)
『철(鐵) 새』(단편 소설집, 오태영 옮김)
『인생의 오솔길을 지나』(장편소설, 오태영 옮김)
『5월 비』(장편소설, 오태영 옮김)
『브라운 박사는 우리 안에 산다』(희곡집, 오태영 옮김)
『신비로운 빛』(단편 소설집, 오태영 옮김)
『살인자를 찾지 마라』(추리소설, 오태영 옮김)
『황금의 포세이돈』(장편 소설집, 오태영 옮김)
『세기의 발명』(희곡집, 오태영 옮김)
『꿈속에서 헤매기』(단편 소설집, 오태영 옮김)
『욤보르와 미키의 모험』(동화책, 장정렬 옮김)

- 한글본
『상어와 함께 춤을 추는 철새』(단편소설집, 오태영 옮김)
『바다별에서 꿈의 사냥꾼을 만나다』(단편집, 오태영 옮김)
『바다별』(단편소설집, 오태영 옮김)
『꿈의 사냥꾼』(단편소설집, 오태영 옮김)

클로드 피롱의 에스페란토 원작 소설
- 에한대역본
『게르다가 사라졌다』(추리소설, 오태영 옮김)
『백작 부인의 납치』(추리소설, 오태영 옮김)

장정렬 번역가의 에스페란토 번역서
- 에한대역본
『파드마, 갠지스 강가의 어린 무용수』(Tibor Sekelj 지음)
『테무친 대초원의 아들』(Tibor Sekelj 지음)
『대통령의 방문』(예지 자비에이스키 지음)
『국제어 에스페란토』(D-ro Esperanto 지음, 이영구. 장정렬 공역, 진달래 출판사, 2021년)
『황금 화살』(ELEK BENEDEK 지음)
『알기쉽도록 〈육조단경〉 에스페란토-한글풀이로 읽다』(혜능 지음, 왕숭방 에스페란토 옮김, 장정렬 에스페란토에서 옮김)
『침실에서 들려주는 이야기』(Antoaneta Klobučar 지음, Davor Klobučar 에스페란토 역)
『공포의 삼 남매』(Antoaneta Klobuĉar 지음, Davor Klobuĉar 에스페란토 역)
『우리 할머니의 동화』(Hasan Jakub Hasan 지음)
『얌부르그에는 총성이 울리지 않는다』(Mikaelo Brostejn)
『청년운동의 전설』(Mikaelo Brostejn 지음)

『푸른 가슴에 희망을』(Julio Baghy 지음)
『반려 고양이 플로로』(크리스티나 코즈로브스카 지음, 페트로 팔리보다 에스페란토 옮김)
『민영화도시 고블린스크』(Mikaelo Brostejn 지음)
『마술사』(크리스티나 코즈로브스카 지음, 페트로 팔리보다 에스페란토 옮김)
『세계인과 함께 읽는 님의 침묵』(한용운 지음)
『세계인과 함께 읽는 윤동주시집』(윤동주 지음)

- 한글본
『크로아티아 전쟁체험기』(Spomenka Ŝtimec 지음)
『희생자』(Julio Baghy 지음)
『피어린 땅에서』(Julio Baghy 지음)
『사랑과 죽음의 마지막 다리에 선 유럽 배우 틸라』,
『상징주의 화가 호들러의 삶을 뒤좇아』 (Spomenka Ŝtimec 지음)
『무엇때문에』(Friedrich Wilhelm ELLERSIE 지음)
『밤은 천천히 흐른다』(이스트반 네메레 지음)
『살모사들의 둥지』(이스트반 네메레 지음)
『메타 스텔라에서 테라를 찾아 항해하다』(이스트반 네메레)
『파드마, 갠지스 강의 무용수』(Tibor Sekelj 지음)
『대초원의 황제 테무친』(Tibor Sekelj 지음)

이낙기 번역가의 에스페란토 번역서
- 에한대역본
『오가이 단편선집』(모리 오가이 지음, 데루오 미카미 외 3인 에스페란토 옮김)
『체르노빌1, 2』(유리 셰르바크 지음)

기타 에스페란토 관련 책(에한대역본)
『에스페란토 직독직해 어린 왕자』(생 텍쥐페리 지음, 피에르 들레르 에스페란토 옮김, 오태영 옮김)
『에스페란토와 함께 읽는 이방인』(알베르 카뮈 지음, 미셸 뒤고니나즈 에스페란토 옮김, 오태영 옮김)
『자멘호프 연설문집』(자멘호프 지음, 이현희 옮김)
『에스페란토와 함께 읽는 논어』(공자 지음, 왕숭방 에스페란토 옮김, 오태영 에스페란토에서 옮김)
『우리 주 예수의 삶』(찰스 디킨스 지음, 몬태규 버틀러 에스페란토 옮김, 오태영 에스페란토에서 옮김)
『진실의 힘』(아디 지음, 오태영 옮김)

- 한글본
『안서 김억과 함께하는 에스페란토 수업』(오태영 지음)
『에스페란토의 아버지 자멘호프』(이토 사부로, 장인자 옮김)
『사는 것은 위험하다』(이스트반 네메레 지음, 박미홍 옮김)
『자멘호프의 삶』(에드몽 쁘리바 지음, 정종휴 옮김)
『자멘호프 에스페란토의 창안자』(마조리 볼튼, 정원조 옮김)

- 에스페란토본
『Pro kio』(Friedrich Wilhelm ELLERSIE 지음)
『Enteru sopirantan kanton al la koro』(오태영 지음)
『Kumeŭaŭa, la filo de la ĝangalo』(Tibor Sekelj 지음)

- 박기완 박사가 번역하고 해설한 에스페란토의 고전
『처음 에스페란토』(루도비코 라자로 자멘호프 지음)
『에스페란토 규범』(루도비코 라자로 자멘호프 지음)
『에스페란토 문답집』(루도비코 라자로 자멘호프 지음)